교 GO!

GO! 비써

GO!

Run-C

교과서 사고력

수학 1-1

구성과 특징

1 주차 교과 집중 학습

① 교과서 개념 완성

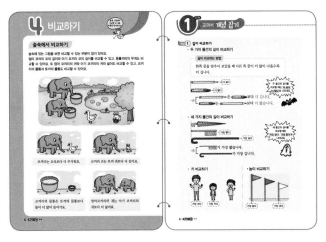

재미있는 수학 이야기로 단원에 대한 흥미를 높이고, 교과서 개념과 기본 문제를 학습합니다.

② 교과서 개념 PLAY

게임으로 개념을 학습하면서 집중력을 높여 쉽게 개념을 익히고 기본을 탄탄하게 만듭니다.

③ 문제 풀이로 실력 & 자신감 UP!

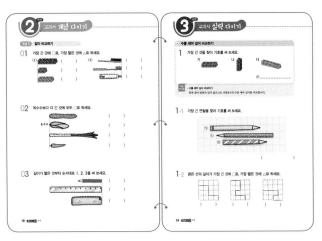

한 단계 더 나아간 교과서와 익힘 문제로 개념을 완성하고, 다양한 문제 유형으로 응용력을 키웁니다.

④ 서술형 문제 풀이

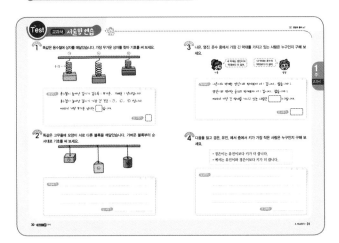

시험에 잘 나오는 서술형 문제 중심으로 단계별로 풀이하는 연습을 하여 서술하는 힘을 높여 줍니다.

2 주차 사고력 확장 학습

1 사고력 PLAY

교과 심화 문제와 사고력 문제를 게임으로 쉽게 접근하여 어려운 문제에 대한 거부감을 낮추고 집중력을 높입니다.

2 교과 사고력 잡기

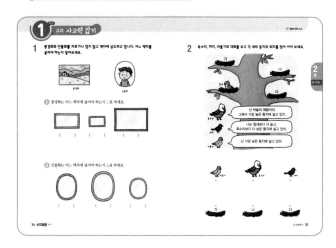

문제에 필요한 요소를 찾아 단계별로 해결하면서 문제 해결력을 키울 수 있는 힘을 기릅니다.

3 교과 사고력 확장 + 완성

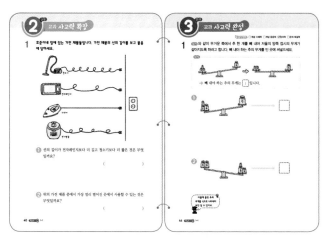

틀에서 벗어난 생각을 하여 문제를 해결하는 창의적 사고력을 기를 수 있는 힘을 기릅니다.

4 종합평가 / 특강

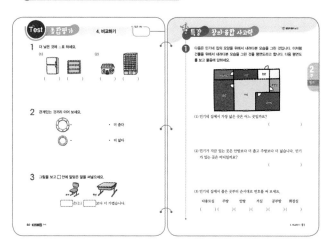

교과 학습과 사고력 학습을 얼마나 잘 이해하였는지 평가하여 배운 내용을 정리합니다.

4 비교하기

숲속 그림에서 비교할 수 있는 부분을 찾아보아요

숲속에서 비교하기

숲속에 있는 그림을 보면 비교할 수 있는 부분이 많이 있어요.
엄마 코끼리 코의 길이와 아기 코끼리 코의 길이를 비교할 수 있고, 동물끼리의 무게도 비교할 수 있어요. 또 엄마 코끼리의 귀와 아기 코끼리의 귀의 넓이도 비교할 수 있고, 코끼리의 물통과 토끼의 물통도 비교할 수 있어요.

코끼리는 오리보다 더 무거워요.

코끼리 코는 토끼 귀보다 더 길어요.

코끼리의 물통은 토끼의 물통보다 물이 더 많이 들어가요.

엄마코끼리의 귀는 아기 코끼리의 귀보다 더 넓어요.

🎓 코끼리 코의 길이를 비교하여 알맞게 이어 보세요.

 •

 •

• 더 짧아요

• 더 길어요

🎓 코끼리와 토끼의 무게를 비교하여 알맞게 이어 보세요.

 •

 •

• 더 무거워요

• 더 가벼워요

🎓 물의 양을 비교하여 알맞게 이어 보세요.

 •

 •

• 물이 더 많아요

• 물이 더 적어요

개념 1 길이 비교하기

· 두 가지 물건의 길이 비교하기

> **길이 비교하는 방법**
>
> 한쪽 끝을 맞추어 보았을 때 다른 쪽 끝이 더 많이 나올수록 더 깁니다.

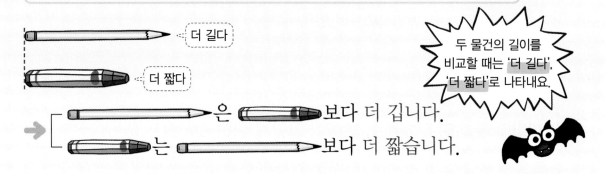

더 길다

더 짧다

➡ 은 ⬚보다 더 깁니다.
는 ⬚보다 더 짧습니다.

> 두 물건의 길이를 비교할 때는 '더 길다', '더 짧다'로 나타내요.

· 세 가지 물건의 길이 비교하기

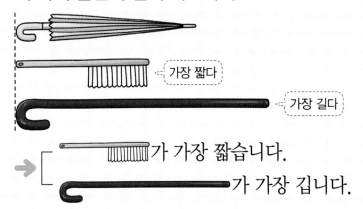

가장 짧다

가장 길다

➡ 가 가장 짧습니다.
가 가장 깁니다.

> 세 물건의 길이를 비교할 때는 '가장 길다', '가장 짧다'로 나타내요.

· 키 비교하기

가장 크다   가장 작다

· 높이 비교하기

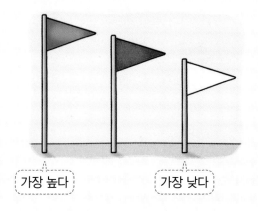

가장 높다   가장 낮다

개념 확인 문제

1-1 더 긴 것에 ○표 하세요.

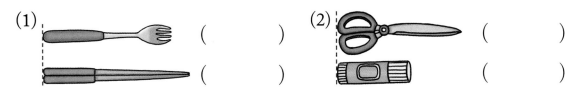

(1) (　　　)

(　　　)

(2) (　　　)

(　　　)

1-2 가장 긴 것에 ○표, 가장 짧은 것에 △표 하세요.

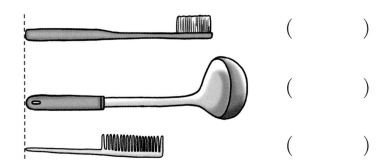

(　　　)

(　　　)

(　　　)

1-3 키가 더 큰 쪽에 ○표 하세요.

(1) (　　　) (　　　)

(2) (　　　) (　　　)

1-4 높이가 더 낮은 쪽에 △표 하세요.

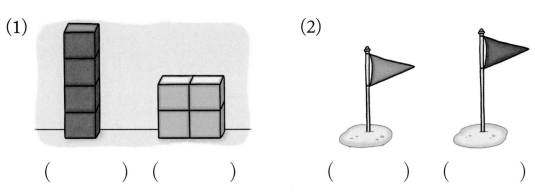

(1) (　　　) (　　　)

(2) (　　　) (　　　)

개념 2 무게 비교하기

- 두 가지 물건의 무게 비교하기

두 가지 물건의 무게를 비교할 때는 '더 무겁다', '더 가볍다'로 나타냅니다.

무게 비교하는 방법

① 물건을 손으로 들어 보았을 때 힘이 더 많이 들수록 더 무겁습니다.
② 물건을 양팔저울에 올려놓았을 때 아래로 내려갈수록 더 무겁습니다.

손으로 들어서 비교하기 | 양팔저울을 이용하여 비교하기

➡ ⌐ 은 보다 더 가볍습니다.
　└ 은 보다 더 무겁습니다.

- 세 가지 물건의 무게 비교하기

세 가지 물건의 무게를 비교할 때는 '가장 무겁다', '가장 가볍다'로 나타냅니다.

➡ ⌐ 가 가장 무겁고, 이 가장 가볍습니다.
　└ 은 보다 더 가볍습니다.

개념 확인 문제

2-1 더 무거운 것에 ◯표 하세요.

(1)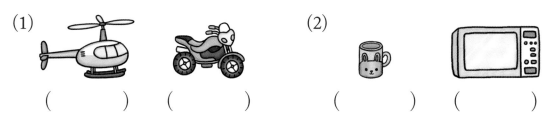

(   )   (   )

(2)

(   )   (   )

1 주 교과서

2-2 더 가벼운 것에 △표 하세요.

(1)

(   )   (   )

(2)

(   )   (   )

2-3 가장 무거운 것에 ◯표, 가장 가벼운 것에 △표 하세요.

(   )   (   )   (   )

2-4 왼쪽에 있는 귤보다 더 가벼운 것을 찾아 △표 하세요.

(   )   (   )   (   )

개념 **3** 넓이 비교하기

• 두 가지 물건의 넓이 비교하기

두 가지 물건의 넓이를 비교할 때는 '**더 넓다**', '**더 좁다**'로 나타냅니다.

> **넓이 비교하는 방법**
>
> 물건의 한쪽 끝을 맞추어 겹쳐 보았을 때 남는 부분이 많을수록
> 더 넓습니다.

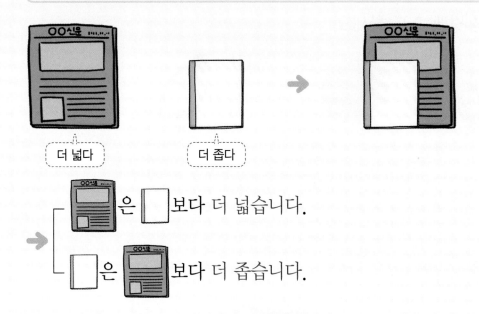

더 넓다   더 좁다

은 　보다 더 넓습니다.

은 　보다 더 좁습니다.

• 세 가지 물건의 넓이 비교하기

세 가지 물건의 넓이를 비교할 때는 '**가장 넓다**', '**가장 좁다**'로 나타냅니다.

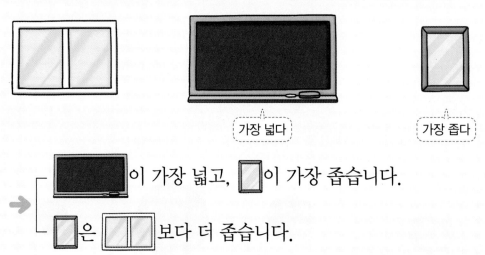

가장 넓다   가장 좁다

이 가장 넓고, 　이 가장 좁습니다.

은 　보다 더 좁습니다.

개념 확인 문제

3-1 더 넓은 것에 ◯표 하세요.

(1)   (2)

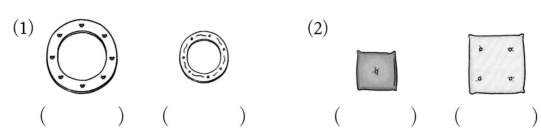

(   )   (   )   (   )   (   )

3-2 더 좁은 것에 △표 하세요.

(1)   (2)

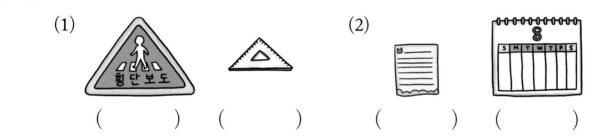

(   )   (   )   (   )   (   )

3-3 가장 넓은 것에 ◯표, 가장 좁은 것에 △표 하세요.

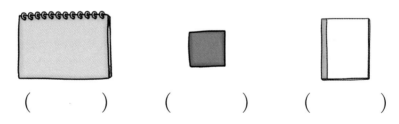

(   )   (   )   (   )

3-4 왼쪽 손수건으로 완전히 가릴 수 있는 물건에 ◯표 하세요.

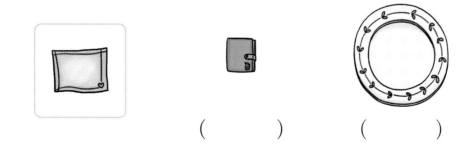

(   )   (   )

개념 **4** 담을 수 있는 양 비교하기

• 두 가지 그릇에 담을 수 있는 양 비교하기

두 가지 그릇에 담을 수 있는 양을 비교할 때는 '더 많다', '더 적다'로 나타냅니다.

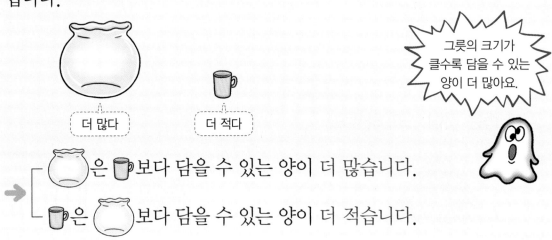

더 많다   더 적다

그릇의 크기가 클수록 담을 수 있는 양이 더 많아요.

은 보다 담을 수 있는 양이 더 많습니다.

은 보다 담을 수 있는 양이 더 적습니다.

• 세 가지 그릇에 담을 수 있는 양 비교하기

세 가지 그릇에 담을 수 있는 양을 비교할 때는 '가장 많다', '가장 적다'로 나타냅니다.

가장 많다   가장 적다

이 담을 수 있는 양이 가장 많습니다.

이 담을 수 있는 양이 가장 적습니다.

• 그릇에 담긴 양 비교하기

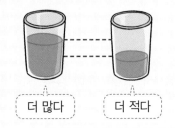

더 많다   더 적다

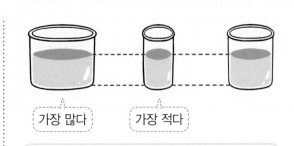

가장 많다   가장 적다

그릇의 모양과 크기가 같을 때 담긴 물의 높이가 높을수록 담긴 양이 더 많습니다.

담긴 물의 높이가 같을 때 그릇의 크기가 클수록 담긴 양이 더 많습니다.

개념 확인 문제

4-1 담을 수 있는 양이 더 많은 것에 ○표 하세요.

(1)

(   )   (   )

(2)

(   )   (   )

1 주 교과서

4-2 담을 수 있는 양이 더 적은 것에 △표 하세요.

(1)

(   )   (   )

(2)

(   )   (   )

4-3 담을 수 있는 양이 가장 많은 것에 ○표, 가장 적은 것에 △표 하세요.

(   )   (   )   (   )

4-4 주스의 양이 가장 많은 것에 ○표, 가장 적은 것에 △표 하세요.

(   )   (   )   (   )

준비물 붙임딱지

시장의 가게 주인이 이야기 하는 것을 읽고 붙임딱지를 붙여 물건을 진열해 보세요.
그리고 물건들의 길이 또는 무게를 비교해 보세요.

생선가게

꽁치, 갈치, 고등어를
길이가 긴 것부터
붙임딱지를 붙여 보고
길이를 비교해 보세요.

갈치가 꽁치보다 더 [　　　].

→ [　　　]가 가장 깁니다.

[　　　]가 가장 짧습니다.

채소가게

가지, 대파, 오이를
길이가 짧은 것부터
붙임딱지를 붙여 보고
길이를 비교해 보세요.

오이가 대파보다 더 [　　　].

→ [　　　]가 가장 깁니다.

[　　　]가 가장 짧습니다.

과 일 가게

무게에 맞게 과일 붙임딱지를 저울에 붙여 보고 알맞은 말에 ○표 해 보세요.

- 참외는 귤보다 더 (무겁습니다 , 가볍습니다).
- 참외는 멜론보다 더 (무겁습니다 , 가볍습니다).
- (멜론 , 참외 , 귤)이 가장 무겁습니다.
- (멜론 , 참외 , 귤)이 가장 가볍습니다.

물건의 무게에 대한 설명을 읽고 가벼운 물건부터 순서대로 진열해 보세요.

생활 용품 가게

- 가위는 스케치북보다 더 가볍습니다.
- 가위는 풍선보다 더 무겁습니다.
- 스케치북은 책가방보다 더 가볍습니다.
- 어항이 가장 무겁습니다.

준비물 ◀ 붙임딱지

민지네 가족은 캠핑장에 갔습니다. 캠핑장에서 사진도 찍고, 요리도 하고, 약수터에서 물도 받았습니다. 글을 읽고 상황에 맞게 붙임딱지를 붙여 그림을 완성해 보세요.

민지의 가방은 엄마의 가방보다 더 좁습니다.

아빠가 엄마보다 더 많은 양을 담을 수 있는 그릇으로 요리합니다.

민지의 베개가 동생의 베개보다 더 넓습니다.

민지의 거울이 가장 좁고, 엄마의 거울이 가장 넓습니다.

민지의 주스는 아빠의 주스보다 양이 더 많고 엄마의 주스보다 양이 더 적습니다.

아빠의 물통이 담을 수 있는 양이 가장 많습니다.

개념 1 길이 비교하기

01 가장 긴 것에 ○표, 가장 짧은 것에 △표 하세요.

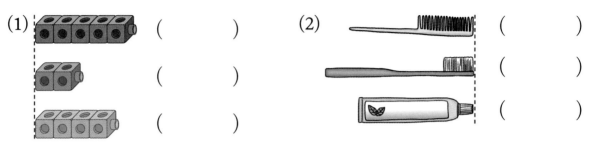

(1)   (   )

        (   )

        (   )

(2)   (   )

        (   )

        (   )

02 옥수수보다 더 긴 것에 모두 ○표 하세요.

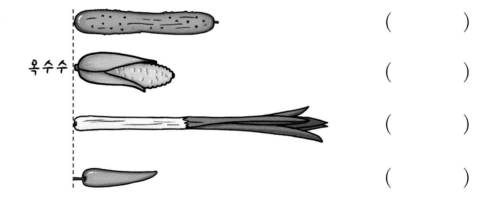

(   )

옥수수   (   )

(   )

(   )

03 길이가 짧은 것부터 순서대로 1, 2, 3을 써 보세요.

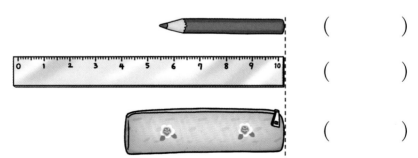

(   )

(   )

(   )

개념 2 키, 높이 비교하기

04 키가 가장 큰 쪽에 ○표, 가장 작은 쪽에 △표 하세요.

(   )   (   )   (   )

05 학교보다 더 낮은 건물을 모두 찾아 써 보세요.

(   )

06 키가 작은 사람부터 순서대로 1, 2, 3을 써 보세요.

(   )   (   )   (   )

개념3 무게 비교하기

07 더 가벼운 쪽에 △표 하세요.

(1)　　　　　　　　　　　　　　(2)

(　　　　) (　　　　)　　　(　　　　) (　　　　)

08 무거운 것부터 순서대로 기호를 써 보세요.

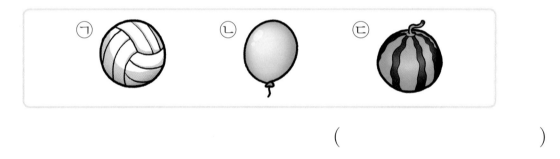

(　　　　　　　　　　　　　　　　)

09 각각의 상자 위에 앉았던 동물은 어떤 동물인지 이어 보세요.

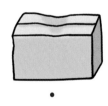　　　　　　

개념 4 넓이 비교하기

10 좁은 것부터 순서대로 I, 2, 3을 써 보세요.

(   )   (   )   (   )

1 주
교과서

11 왼쪽 그림을 자르거나 접지 않고 봉투에 넣으려고 합니다. 어느 것을 고르는 것이 좋은지 기호를 써 보세요.

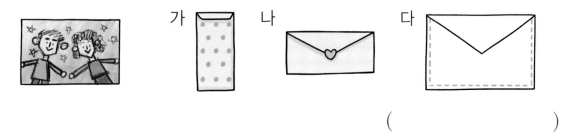

(   )

12 수를 순서대로 이어 보고, 더 좁은 쪽에 △표 하세요.

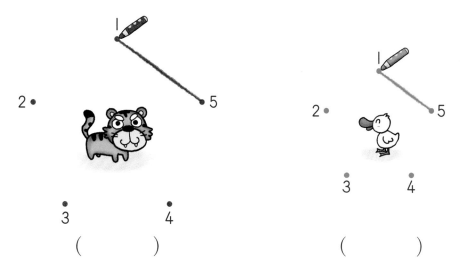

(   )   (   )

개념5 담을 수 있는 양 비교하기

13 그림을 보고 ☐ 안에 알맞은 말을 써넣으세요.

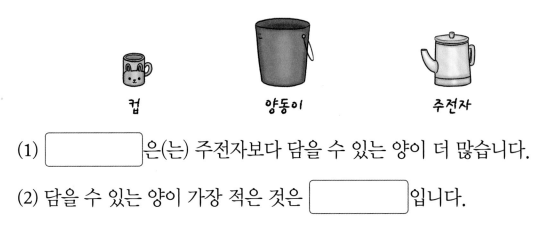

컵   양동이   주전자

(1) ☐ 은(는) 주전자보다 담을 수 있는 양이 더 많습니다.

(2) 담을 수 있는 양이 가장 적은 것은 ☐ 입니다.

14 담을 수 있는 양이 많은 것부터 순서대로 1, 2, 3을 써 보세요.

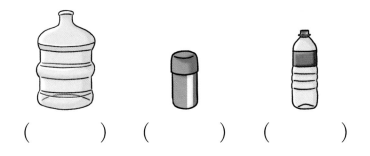

( )   ( )   ( )

15 담을 수 있는 양이 왼쪽 물병보다 더 많은 것을 모두 찾아 기호를 써 보세요.

( )

개념 6 담긴 양 비교하기

16 담긴 물의 양이 더 적은 쪽에 △표 하세요.

(1)

(   )   (   )

(2)

(   )   (   )

17 왼쪽보다 담긴 우유의 양이 더 많은 것을 찾아 기호를 써 보세요.

(   )

18 희수, 수현, 민종이는 다음과 같이 들어 있는 주스를 모두 마셨습니다. 주스를 가장 많이 마신 사람은 누구일까요?

희수   수현   민종

(   )

★ 수를 세어 길이 비교하기

1 가장 긴 것을 찾아 기호를 써 보세요.

가 　　　나 　　　다

답 _____

> **개념 피드백**
> • 수를 세어 길이 비교하기
> 한쪽 끝이 맞춰져 있지 않으므로 연결큐브의 수를 세어 길이를 비교합니다.

1-1 가장 긴 연필을 찾아 기호를 써 보세요.

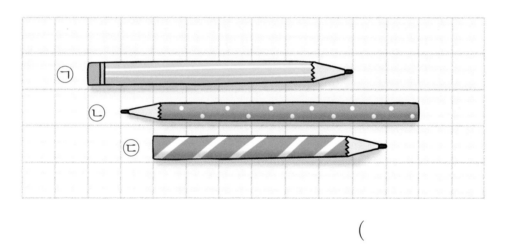

(　　　　　　　　)

1-2 굵은 선의 길이가 가장 긴 것에 ○표, 가장 짧은 것에 △표 하세요.

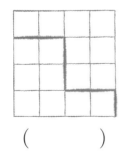　　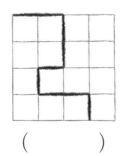　　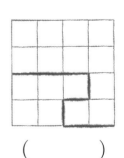

(　　　)　　　(　　　)　　　(　　　)

★ 여러 가지 방법으로 무게 비교하기

2 더 무거운 쪽에 ○표 하세요.

(1) (2)

(   )   (   )   (   )   (   )

개념 피드백

• 여러 가지 방법으로 무게 비교하기

① 시소, 양팔저울은 아래로 내려가는 쪽이 더 무겁습니다.

② 고무줄, 용수철은 더 많이 늘어날수록 더 무겁습니다.

2-1 배추와 양파 중 더 가벼운 것은 어느 것일까요?

(   )

2-2 똑같은 고무줄에 물건을 매달았더니 다음과 같이 늘어났습니다. 가장 무거운 것은 어느 것인지 써 보세요.

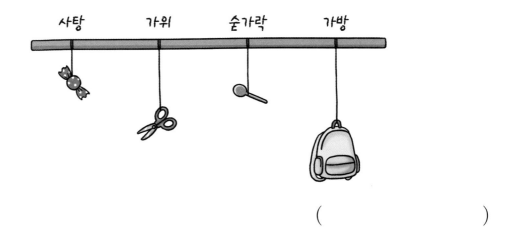

(   )

⭐ **구부러진 선의 길이 비교하기**

3 길이가 더 긴 것에 ◯표 하세요.

(   )

(   )

개념 피드백
• 구부러진 선의 길이 비교
많이 구부러져 있을수록 선을 곧게 폈을 때 길이가 더 깁니다.

3-1 줄넘기의 길이가 가장 긴 것에 ◯표, 가장 짧은 것에 △표 하세요.

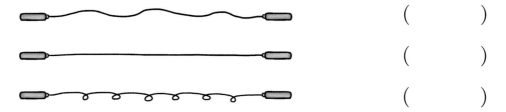

(   )

(   )

(   )

3-2 보미네 집에서 학교까지 가는 길이 다음과 같을 때 가장 가까운 길을 찾아 기호를 써 보세요.

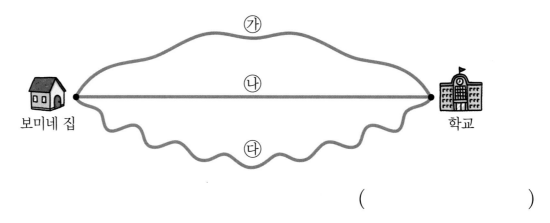

(   )

★ 가득 채운 물 옮겨 담기

4 【보기】의 컵에 물을 가득 담아 오른쪽 주어진 그릇에 부었을 때 넘치지 않고 모두 담을 수 있는 것을 찾아 기호를 써 보세요.

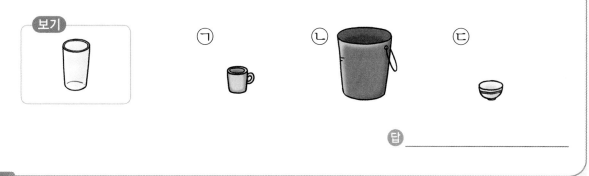

답 _____

개념 피드백 ① 큰 컵에 물을 가득 담아 작은 컵에 부어 보면 물이 넘칩니다.
② 작은 컵에 물을 가득 담아 큰 컵에 부어 보면 넘치지 않고 모두 담을 수 있습니다.

4-1 【보기】의 그릇에 물을 가득 담아 오른쪽 주어진 그릇에 부었을 때 넘치지 않고 모두 담을 수 있는 것을 찾아 기호를 써 보세요.

(   )

4-2 물을 옮겨 담으면 어떻게 될지 그려 보세요.

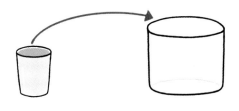

★ **칸 수로 넓이 비교하기**

5 색칠한 부분이 더 넓은 것은 어느 것인지 기호를 써 보세요.

㉮ 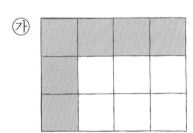   ㉯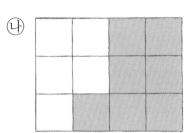

답 _____

 개념 피드백

• 칸 수로 넓이 비교하기

한 칸의 크기가 같을 때 칸 수가 많을수록 더 넓습니다.

5-1 색칠한 부분이 좁은 것부터 순서대로 기호를 써 보세요.

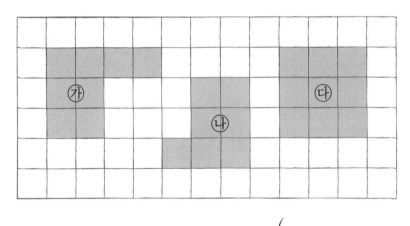

(   )

5-2 가장 넓은 부분에 심은 것은 무엇인지 찾아 써 보세요.

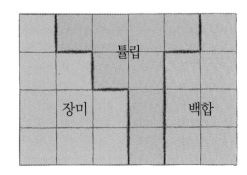

(   )

1주

교과서

★ 세 사람의 무게 비교하기

6 효정, 서진, 지우가 시소를 타고 있습니다. 가장 무거운 사람은 누구일까요?

(1) 서진이는 효정이보다 더 (무겁습니다 , 가볍습니다).

(2) 서진이는 지우보다 더 (무겁습니다 , 가볍습니다).

답 _____

개념 피드백

• 시소로 무게 비교하기

시소는 위로 올라간 쪽이 더 가볍고, 아래로 내려간 쪽이 더 무겁습니다.

6-1 윤주, 미호, 정우가 시소를 타고 있습니다. 가장 가벼운 사람은 누구일까요?

( )

6-2 가벼운 동물부터 순서대로 써 보세요.

( )

 1 똑같은 용수철에 상자를 매달았습니다. 가장 무거운 상자를 찾아 기호를 써 보세요.

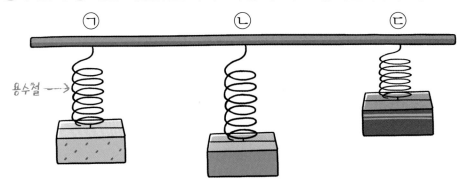

> **해결하기** 용수철이 늘어난 길이가 길수록 (무거운 , 가벼운) 상자입니다.
>
> 용수철이 늘어난 길이가 가장 긴 것은 (㉠ , ㉡ , ㉢)입니다.
>
> 따라서 가장 무거운 상자는 ☐ 입니다.
>
> **답 구하기** ☐

2 똑같은 고무줄에 모양이 서로 다른 블록을 매달았습니다. 가벼운 블록부터 순서대로 기호를 써 보세요.

> **해결하기**
>
>
>
>
>
> **답 구하기**

3 나은, 영진, 준수 중에서 가장 긴 막대를 가지고 있는 사람은 누구인지 구해 보세요.

내 막대는 영진이의 막대보다 더 길어.
나은

내 막대는 준수의 막대보다 더 길어.
영진

해결하기

나은이의 막대는 영진이의 막대보다 더 (깁니다 , 짧습니다).

영진이의 막대는 준수의 막대보다 더 (깁니다 , 짧습니다).

따라서 가장 긴 막대를 가지고 있는 사람은 [   ] (이)입니다.

답 구하기 [   ]

4 다음을 읽고 경은, 유진, 예서 중에서 키가 가장 작은 사람은 누구인지 구해 보세요.

• 경은이는 유진이보다 키가 더 큽니다.
• 예서는 유진이와 경은이보다 키가 더 큽니다.

해결하기

답 구하기 _____

4. 비교하기 · **31**

준비물 붙임딱지

토끼가 동물 마을에 이사를 왔어요. 친구들을 초대하기 위해 마을 지도를 나눠 주려고 해요.
거리에 맞게 붙임딱지를 붙여 토끼네 집을 찾을 수 있도록 마을 지도를 완성해 보세요.

우리 집에서 가까운 순서대로 있는 장소야.
동물 친구들에게 줄 마을 지도를 완성해야 해.

가장 가깝다.　　　　　　　　　　　　　　　　가장 멀다.

토끼는 동물 친구들에게 맛있는 수프를 나누어 주려고 합니다. 동물 친구들에게 나누어 주어야 할 수프 그릇 붙임딱지를 식탁 위에 붙여 보세요.

몸집이 크고 무거운 동물일수록 수프를 많이 담을 수 있는 그릇으로 줄 거야.

준비물 붙임딱지

㉮와 ㉯ 조각으로 주황색으로 칠한 부분을 채우려고 합니다. ㉮와 ㉯ 조각 붙임딱지를
이용하여 붙여 보고, 어느 조각이 더 많이 필요한지 구해 보세요.

㉮ 조각

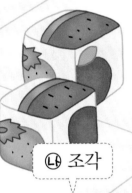

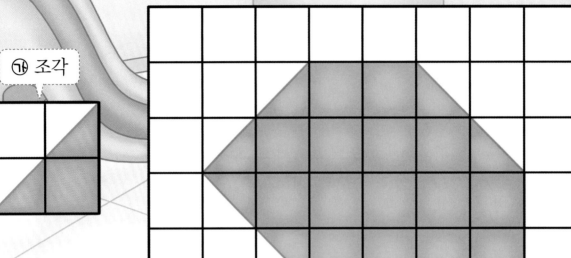

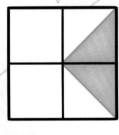

㉯ 조각

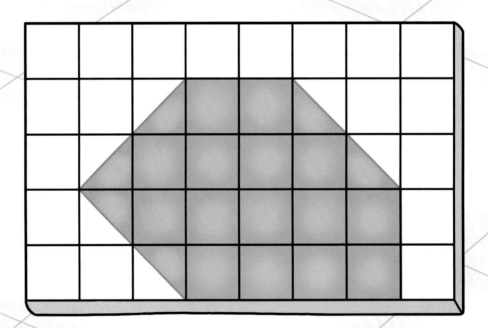

㉮ 조각은 ◻ 개, ㉯ 조각은 ◻ 개 필요합니다.

➡ 조각이 더 많이 필요한 것은 (㉮ , ㉯) 조각입니다.

사고력 개념 스토리 물건값 정하기

준비물 붙임딱지

노란색 블록과 초록색 블록의 무게를 보기 와 같이 당근으로 재었습니다. 물건의 값을 블록 무게에 맞추어 정할 때 각 물건의 값은 당근 몇 개와 같은지 붙임딱지를 붙여 보세요.
(단, 당근의 무게는 같습니다.)

보기

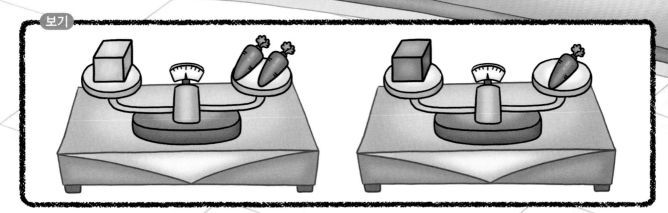

2
주

사고력

1 풍경화와 인물화를 자르거나 접지 않고 액자에 넣으려고 합니다. 어느 액자를 골라야 하는지 알아보세요.

풍경화

인물화

1 풍경화는 어느 액자에 넣어야 하는지 ○표 하세요.

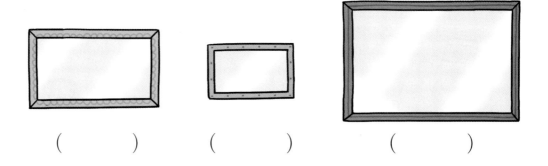

(   )   (   )   (   )

2 인물화는 어느 액자에 넣어야 하는지 △표 하세요.

(   )   (   )   (   )

2 독수리, 까치, 비둘기의 대화를 보고 각 새의 둥지의 위치를 찾아 이어 보세요.

3 리라, 기연, 종두네 가족은 김장을 하였습니다. 똑같은 항아리에 김치를 가득 담은 다음 며칠 후에 김치의 양을 보았더니 다음과 같았습니다. 김치를 많이 먹은 가족부터 순서대로 이름을 써 보세요.

① 김치를 가장 적게 먹은 가족은 누구네 가족인지 이름을 써 보세요.

(   )

② 김치를 가장 많이 먹은 가족은 누구네 가족인지 이름을 써 보세요.

(   )

③ 김치를 많이 먹은 가족부터 순서대로 이름을 써 보세요.

(   )

4 토끼가 사냥꾼을 피해 도망을 가려고 합니다. 안전한 굴로 도망가기 위해 가장 가까운 길로 가려면 ㉮, ㉯, ㉰, ㉱의 다리 중 어느 다리를 건너야 하는지 구해 보세요.

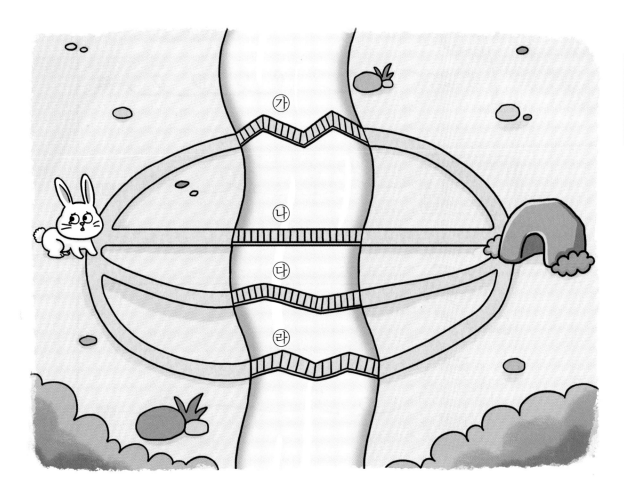

❶ 다리의 길이가 짧은 것부터 순서대로 기호를 써 보세요.

(   )

❷ 토끼가 굴로 도망가기 위해 가장 가까운 길로 가려면 어느 다리를 건너야 할까요?

(   )

1 호준이네 집에 있는 가전 제품들입니다. 가전 제품의 선의 길이를 보고 물음에 답하세요.

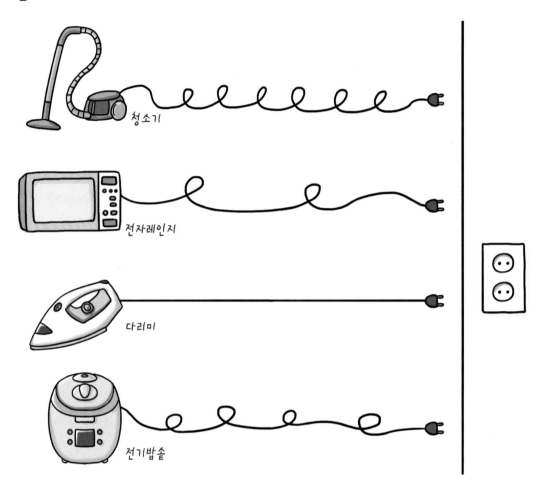

청소기

전자레인지

다리미

전기밥솥

① 선의 길이가 전자레인지보다 더 길고 청소기보다 더 짧은 것은 무엇일까요?

( )

② 위의 가전 제품 중에서 가장 멀리 떨어진 곳에서 사용할 수 있는 것은 무엇일까요?

( )

2 주머니 안에 솜 뭉치, 탁구공, 쇠구슬을 가득 넣고 똑같은 상자 위에 올려놓았더니 다음과 같았습니다. 그림을 보고 물음에 답하세요.

ㄱ 　　ㄴ 　　ㄷ

① 위의 그림을 보고 무거운 주머니부터 순서대로 기호를 써 보세요.

(　　　　　　　　　)

② 각각의 주머니 안에 들어 있는 것은 무엇일지 이어 보세요.

ㄱ 　　ㄴ 　　ㄷ

·　　　　　·　　　　　·

·　　　　　·　　　　　·

탁구공　　　　　쇠구슬　　　　　솜 뭉치

3 친구들이 모래밭에서 발자국을 찍어 보았습니다. 발자국을 보고 누구의 운동화가 가장 긴지 구하려고 합니다. 물음에 답하세요.

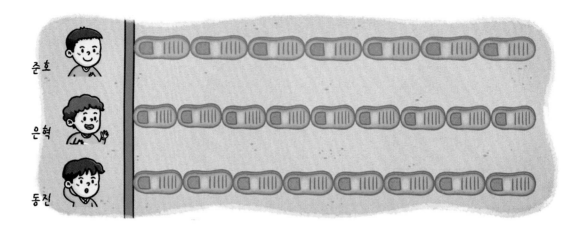

① 준호, 은혁, 동진이의 운동화를 찾아 바르게 이어 보세요.

② 준호, 은혁, 동진 세 사람 중에서 누구의 운동화가 가장 긴지 쓰고 그 이유를 써 보세요.

(   )

이유

4 친구들의 대화를 읽고 같은 컵에 주스를 따르고 난 후 컵에 담긴 양을 비교하려고 합니다. 물음에 답하세요.

① 컵에 담긴 주스의 양이 가장 적은 친구는 누구일까요?

(   )

② 컵에 담긴 주스의 양이 가장 많은 친구는 누구일까요?

(   )

③ 컵에 따른 주스의 양을 알맞게 그려 보세요.

평가 영역 ☐개념 이해력 ☐개념 응용력 ☑창의력 ☐문제 해결력

1 보기와 같이 무거운 쪽에서 추 한 개를 빼 내어 저울의 양쪽 접시의 무게가 같아지도록 하려고 합니다. 빼 내야 하는 추의 무게를 빈 곳에 써넣으세요.

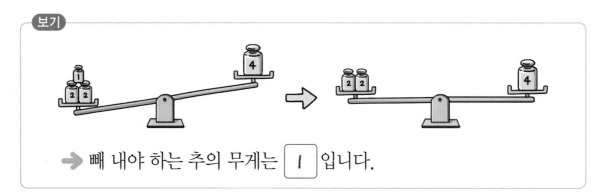

➡ 빼 내야 하는 추의 무게는 [1]입니다.

①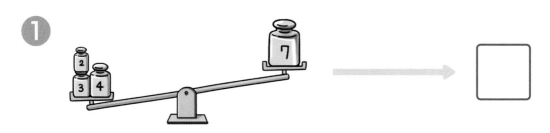

②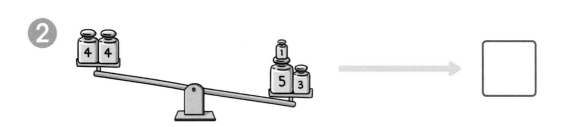

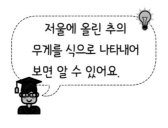
저울에 올린 추의 무게를 식으로 나타내어 보면 알 수 있어요.

평가 영역 ☐개념 이해력 ☐개념 응용력 ☑창의력 ☐문제 해결력

2 다음과 같은 모양 조각으로 가, 나, 다 모양을 만들었습니다. ▲ 조각을 이용하여 가, 나, 다 모양의 넓이를 비교하려고 합니다. 물음에 답하세요.

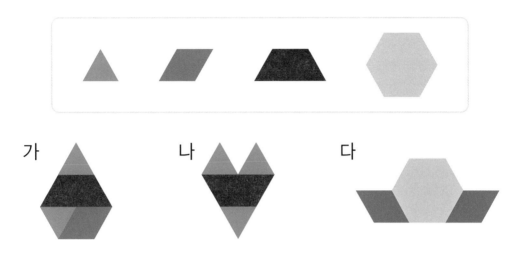

❶ 각 조각의 넓이는 ▲ 조각 몇 개의 넓이와 같을까요?

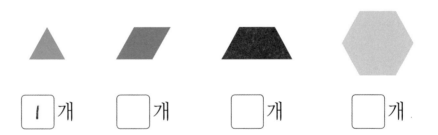

| 1 |개 | |개 | |개 | |개

❷ 가, 나, 다 모양은 ▲ 조각 몇 개의 넓이와 같을까요?

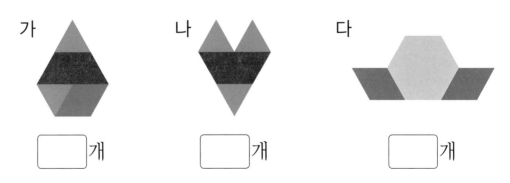

가 [ ]개   나 [ ]개   다 [ ]개

❸ 가, 나, 다 모양에서 넓은 순서대로 기호를 써 보세요.

(   )

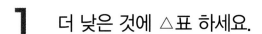
1 더 낮은 것에 △표 하세요.

(1)

(   )   (   )

(2)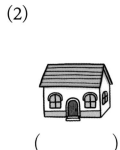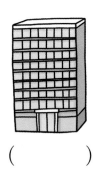

(   )   (   )

2 관계있는 것끼리 이어 보세요.

 •

 •

• 더 좁다

• 더 넓다

3 그림을 보고 ☐ 안에 알맞은 말을 써넣으세요.

의자

책상

☐ 은(는) ☐ 보다 더 가볍습니다.

4 물이 더 많이 담긴 쪽에 ◯표 하세요.

(1)
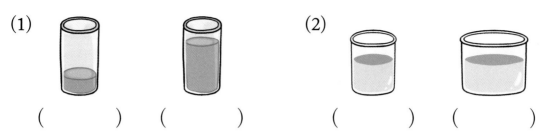
(   )   (   )

(2)
(   )   (   )

5 은지가 말하는 것과 관계 <u>없는</u> 말을 모두 찾아 ×표 하세요.

연필과 필통의 길이를 비교할 거야!

은지

짧다   넓다

많다   길다

6 가장 짧은 것에 △표 하세요.

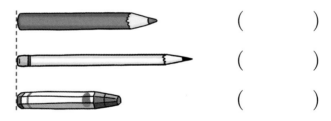

(   )
(   )
(   )

7 넓은 것부터 순서대로 1, 2, 3을 써 보세요.

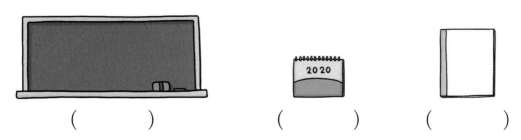

(   )   (   )   (   )

8 물이 가장 많이 담긴 컵에 ◯표 하세요.

(   )　　　(   )　　　(   )

9 가장 긴 것에 ◯표 하세요.

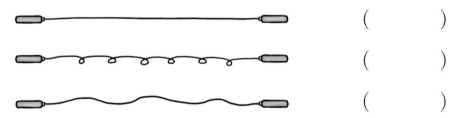

(   )

(   )

(   )

10 가장 넓은 곳에 색칠해 보세요.

(1)　　　　　　　　　　　　　　(2)

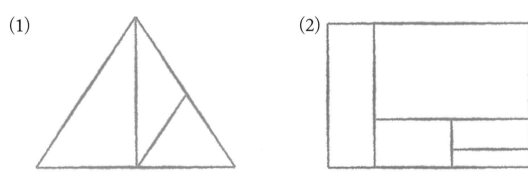

11 ㉮보다 더 넓고 ㉯보다 더 좁은 △ 모양을 빈 곳에 그려 넣으세요.

2
주
평가

12 칫솔보다 더 짧은 것은 모두 몇 개일까요?

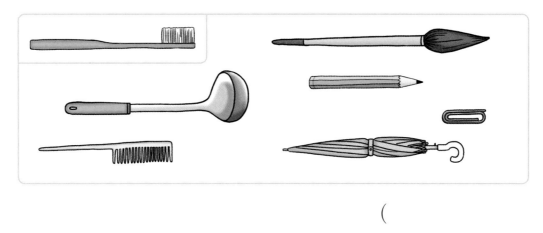

( )

13 그림과 같이 밭에 상추, 가지, 호박, 오이를 심었습니다. 가장 넓은 부분에 심은 것은 무엇일까요?

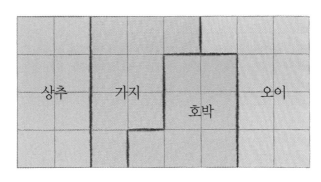

( )

14 다음을 읽고 거울, 색종이, 창문을 좁은 것부터 순서대로 써 보세요.

> • 거울은 색종이보다 더 넓습니다.
> • 거울은 창문보다 더 좁습니다.

(   )

15 종훈, 슬기, 현지 중에서 가장 무거운 사람은 누구일까요?

종훈   슬기   슬기   현지

(   )

16 다른 부분을 두 군데 찾아 비교하는 말을 이용하여 문장을 써 보세요.

1 다음은 민기네 집의 모양을 위에서 내려다본 모습을 그린 것입니다. 이처럼 건물을 위에서 내려다본 모습을 그린 것을 평면도라고 합니다. 다음 평면도를 보고 물음에 답하세요.

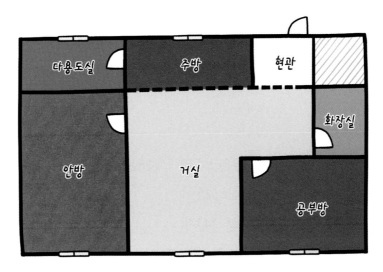

(1) 민기네 집에서 가장 넓은 곳은 어느 곳일까요?

(   )

(2) 민기가 지금 있는 곳은 안방보다 더 좁고 주방보다 더 넓습니다. 민기가 있는 곳은 어디일까요?

(   )

(3) 민기네 집에서 좁은 곳부터 순서대로 번호를 써 보세요.

다용도실	주방	안방	거실	공부방	화장실
( )	( )	( )	( )	( )	( )

5 50까지의 수

단원과 관련된 수의 이야기를 살펴보아요.

십진법의 발견

이번 단원에서는 1단원에서 배운 9까지의 수보다 더 큰 수를 배우게 됩니다.
9보다 더 큰 수는 0부터 9까지 10개의 숫자를 한 묶음으로 하여 한 자리씩 올려 나가는 방법으로 수를 나타내는데 이를 십진법이라고 합니다. 그럼 우리가 십진법을 사용하는 이유는 무엇인지 알아볼까요?

옛날 사람들은 수를 셀 때 주로 몸을 이용하였습니다. 북극과 가장 가까운 나라인 그린란드에서는 수를 셀 때 손가락 10개와 발가락 10개로 수를 나타내었습니다. 예를 들어 물고기 12마리를 잡으면 손가락 10개를 모두 내밀고 발가락 2개를 더 내밀어 표현했다고 합니다. 하지만 손가락과 발가락을 이용해서 수를 세었지만 세어야 할 수가 커지면 문제가 생겼습니다. 왜냐하면 손가락은 접었다 펴는 건 쉬웠지만 발가락은 어려웠으니까요.

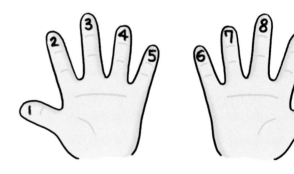

그래서 사람들은 손가락 10개만 사용해서 수를 나타내기로 했습니다. 손가락이 모두 10개이니까, 수가 10을 넘으면 하나로 묶고 새로 1부터 세기 시작한 거죠. 이렇게 0부터 9까지의 숫자를 10개씩 묶어서 나타내면 10(십), 100(백), 1000(천)……을 세는 것도 편리합니다.
이와 같이 한 묶음으로 표현하여 나타내는 십진법을 사용하기 시작했답니다.

$$(10개씩 묶음 1개) = 10$$

사과의 수가 10개가 되도록 붙임딱지를 붙여 보세요.

10이 되도록 색칠해 보세요.

블록이 10이 되도록 이어 보세요.

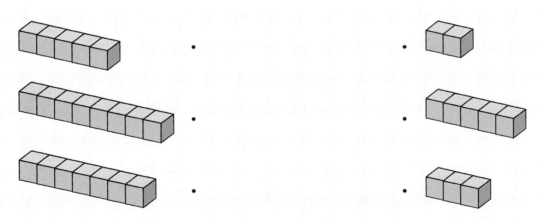

개념 1 9 다음 수 알아보기

- 10 알아보기

10	
십	열

9보다 1만큼 더 큰 수를 10이라고 합니다.

- 10 모으기

1	9

→ 10

2	8

→ 10

- 10 가르기

10

→ 3 7

10

→ 4 6

개념 2 십몇 알아보기

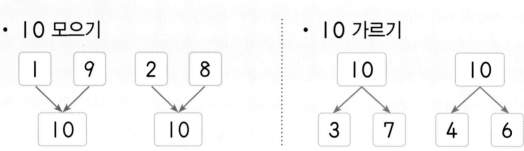

13	
십삼	열셋

10개씩 묶음 1개와 낱개 3개를 13이라고 합니다.

10개씩 묶음 1개와 낱개 ■개 → 1■

- 십몇 쓰고 읽기

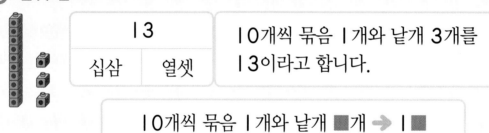

11	12	13	14	15
십일, 열하나	십이, 열둘	십삼, 열셋	십사, 열넷	십오, 열다섯

16	17	18	19
십육, 열여섯	십칠, 열일곱	십팔, 열여덟	십구, 열아홉

개념 확인 **문제**

1-1 10이 되도록 색칠해 보세요.

1-2 빈 곳에 알맞은 수를 써넣으세요.

(1)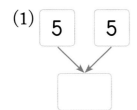

(2)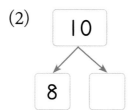

2-1 그림을 보고 ☐ 안에 알맞은 수나 말을 써넣으세요.

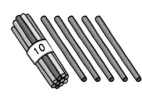

(1) 10개씩 묶음 1개와 낱개 5개이므로 ☐ 입니다.

(2) 15는 십오 또는 ☐ 이라고 읽습니다.

2-2 수를 보고 10개씩 묶음의 수와 낱개의 수를 써넣으세요.

(1)

10개씩 묶음	낱개

16

(2)

10개씩 묶음	낱개

12

개념 **3** 모으기와 가르기

• 14 모으기

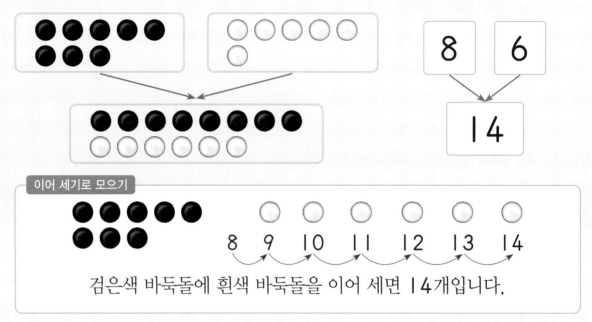

이어 세기로 모으기

검은색 바둑돌에 흰색 바둑돌을 이어 세면 14개입니다.

➡ 8과 6을 모으기 하면 14입니다.

• 14 가르기

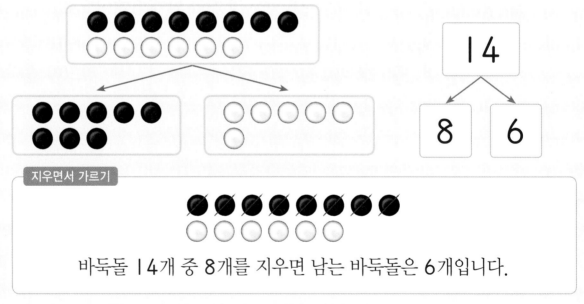

지우면서 가르기

바둑돌 14개 중 8개를 지우면 남는 바둑돌은 6개입니다.

➡ 14는 8과 6으로 가르기 할 수 있습니다.

개념 확인 문제

3-1 빈 곳에 알맞은 수만큼 ○를 그려 넣고, □ 안에 알맞은 수를 써넣으세요.

(1)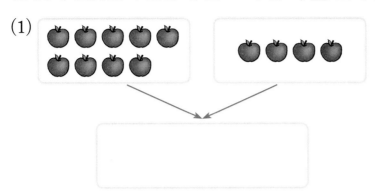

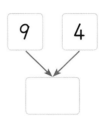

(2)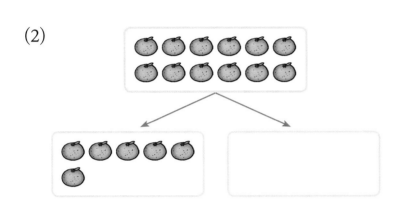

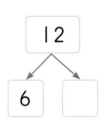

3-2 모으기를 해 보세요.

(1)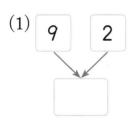

(2)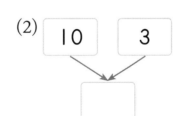

(3)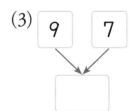

3-3 가르기를 해 보세요.

(1)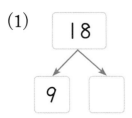

(2)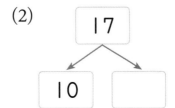

(3)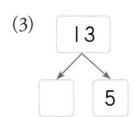

개념 4 10개씩 묶어 세어 보기

• 몇십 알아보기

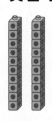

20
이십 스물

10개씩 묶음 2개를 20이라고 합니다.

10개씩 묶음 ■개 ➡ ■0

10개씩 묶음 3개	10개씩 묶음 4개	10개씩 묶음 5개
30	40	50
삼십, 서른	사십, 마흔	오십, 쉰

개념 5 50까지의 수 세어 보기

• 몇십몇 알아보기

36
삼십육 서른여섯

10개씩 묶음 3개와 낱개 6개를 36이라고 합니다.

10개씩 묶음 ■개와 낱개 ▲개 ➡ ■▲

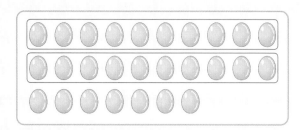

10개씩 묶음	낱개
2	7

27

개념 확인 문제

4-1 수를 세어 쓰고 두 가지 방법으로 읽어 보세요.

(1)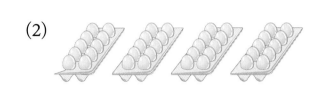
쓰기 ( )
읽기 (,)

(2)
쓰기 ( )
읽기 (,)

4-2 빈칸에 알맞은 수를 써넣으세요.

10개씩 묶음 3개	
10개씩 묶음 4개	
10개씩 묶음 5개	

5-1 같은 수끼리 이어 보세요.

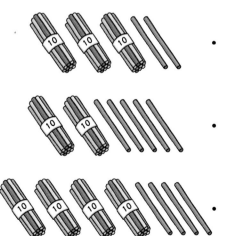

· · 25 · · 마흔넷

· · 32 · · 스물다섯

· · 44 · · 서른둘

개념 **6** 50까지의 수의 순서 알아보기

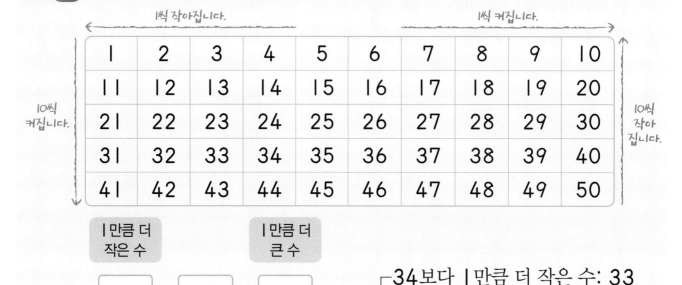

|만큼 더 작은 수

|만큼 더 큰 수

33 — 34 — 35

34 바로 앞의 수   사이의 수   34 바로 뒤의 수

→ ┌ 34보다 |만큼 더 작은 수: 33
   └ 34보다 |만큼 더 큰 수: 35

수를 순서대로 썼을 때 ┌ 바로 앞의 수는 |만큼 더 작은 수입니다.
                      └ 바로 뒤의 수는 |만큼 더 큰 수입니다.

개념 **7** 두 수의 크기 비교하기

• 10개씩 묶음의 수가 다르면 10개씩 묶음의 수가 큰 쪽이 더 큰 수입니다.

→ 32는 27보다 큽니다. 또는 27은 32보다 작습니다.

• 10개씩 묶음의 수가 같으면 낱개의 수가 큰 쪽이 더 큰 수입니다.

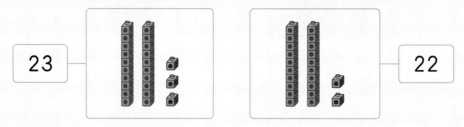

→ 23은 22보다 큽니다. 또는 22는 23보다 작습니다.

개념 확인 문제

6-1 수를 보고 ☐ 안에 알맞은 수를 써넣으세요.

| 24 | 25 | 26 | 27 | 28 | 29 | 30 |

(1) 28보다 1만큼 더 큰 수는 ☐ 입니다.

(2) 30보다 1만큼 더 작은 수는 ☐ 입니다.

3
주
교과서

6-2 순서에 맞게 빈 곳에 알맞은 수를 써넣으세요.

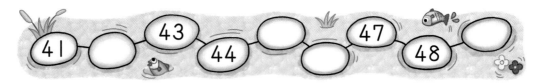

7-1 수만큼 색칠하고 ☐ 안에 알맞은 수를 써넣으세요.

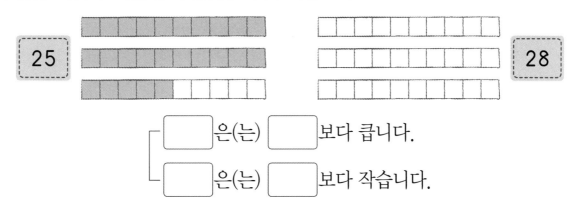

25

28

☐ 은(는) ☐ 보다 큽니다.

☐ 은(는) ☐ 보다 작습니다.

7-2 더 큰 수에 ○표 하세요.

(1)

| 40 | 37 |

(2)

| 44 | 47 |

준비물 • 붙임딱지

무당벌레가 등에 있는 점의 수와 같은 수가 적힌 나뭇잎을 먹고 있어요.
나뭇잎에 적힌 수를 보고 무당벌레 등을 완성하고, 무당벌레의 등을 보고 나뭇잎을 완성해 보세요.

11

17

PLAY

교과서 개념 스토리 | 케이크에 초 꽂기

준비물 ● 붙임딱지

각자 생일이 되면 생일 케이크에 나이만큼 초를 꽂아서 '후~' 하고 불어요. 나이에 맞게 초 붙임딱지를 붙여 생일 케이크를 완성해 보세요. (단, 긴 초는 10살, 짧은 초는 1살을 나타냅니다.)

아빠는 올해 50살이지.

엄마는 46살이야.

개념 1 9 다음 수 알아보기

01 그림을 보고 알맞은 수에 ○표 하세요.

(1) 돼지의 수는 8보다 (1 , 2)만큼 더 큽니다.

(2) 돼지는 모두 (9 , 10)마리입니다.

02 10이 되도록 ○를 그리고 □ 안에 알맞은 수를 써넣으세요.

→ 7과 □을 모으기 하면 10이 됩니다.

03 10을 어떻게 읽어야 하는지 알맞은 말에 ○표 하세요.

(1) 형은 10살입니다.

(십 , 열)

(2) 어머니의 생신은 7월 10일입니다.

(십 , 열)

(3) 상자에 도넛이 10개 들어 있습니다.

(십 , 열)

개념 2 **십몇 알아보기**

04 빈칸에 알맞은 수나 말을 써넣으세요.

(1) 17 ── | | 열일곱 |

(2) 18 ── | 십팔 | |

(3) ── | 십구 | |

수를
두 가지 방법으로
읽어 봐요.

05 빈 곳에 알맞은 수를 써넣으세요.

(1) 13 ─ ◯ ─ ◯ ─ ◯ ─ 17 ─ ◯

(2) 19 ─ ◯ ─ ◯ ─ ◯ ─ 15 ─ 14

06 블록의 수를 써 보세요.

(1)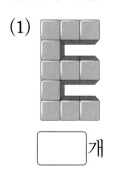

◻ 개

(2)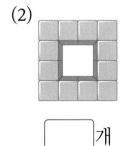

◻ 개

(3)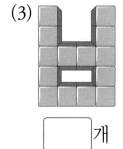

◻ 개

개념3 모으기와 가르기

07 15칸을 두 가지 색으로 색칠하고 가르기를 해 보세요.

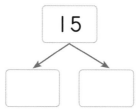

08 두 가지 방법으로 가르기를 해 보세요.

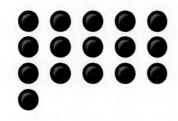
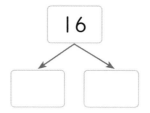
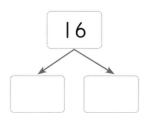

09 위와 아래의 두 수를 모아서 13이 되는 것끼리 이어 보세요.

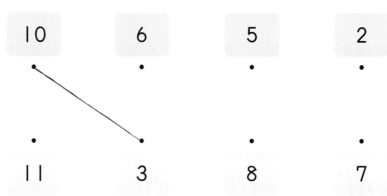

개념4 50까지의 수 세어 보기

10 같은 수끼리 이어 보세요.

11 빈칸에 알맞은 수를 써넣으세요.

(1)

10개씩 묶음	낱개
1	9

(2)

10개씩 묶음	낱개
4	3

12 수를 보고 ☐ 안에 알맞은 수를 써넣으세요.

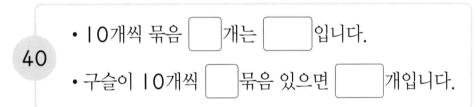

13 영진이가 주머니에서 꺼낸 동전입니다. 동전은 모두 얼마일까요?

원

개념 **5** 50까지의 수의 순서 알아보기

14 빈 곳에 알맞은 수를 써넣으세요.

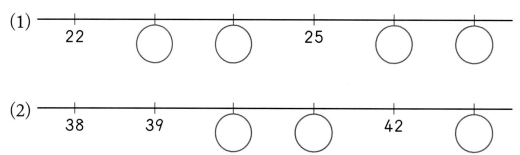

(1) 22 ◯ ◯ 25 ◯ ◯

(2) 38 39 ◯ ◯ 42 ◯

15 빈 곳에 알맞은 수를 써넣으세요.

(1)

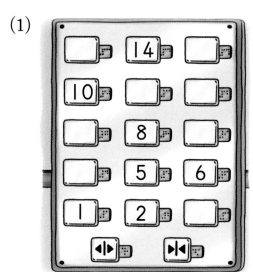

(2)

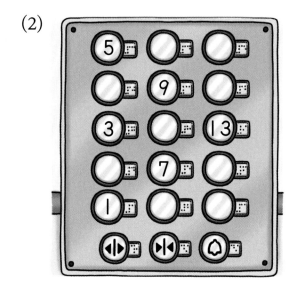

16 빈 곳에 알맞은 수를 써넣으세요.

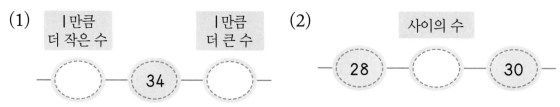

(1) |만큼 더 작은 수 |만큼 더 큰 수

◯ — 34 — ◯

(2) 사이의 수

28 — ◯ — 30 —

개념6 두 수의 크기 비교하기

17 그림을 보고 두 수의 크기를 비교해 보세요.

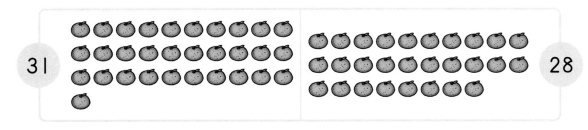

31은 [ ]보다 (큽니다 , 작습니다).

[ ]은 31보다 (큽니다 , 작습니다).

18 더 큰 수에 ○표 하세요.

(1)

34	50

(2)

25	22

19 더 작은 수에 △표 하세요.

(1)

45	48

(2)

13	23

20 가장 큰 수에 ○표 하세요.

(1)

35	32	39

(2)

27	34	41

⭐ **수를 세어 읽기**

1 생선의 수를 두 가지 방법으로 읽어 보세요.

답 _____ , _____

개념 피드백 • 10개씩 묶어 세기

10개씩 묶음이 ■개이면 ■0입니다.

1-1 오징어의 수를 두 가지 방법으로 읽어 보세요.

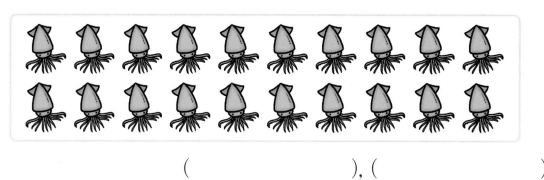

(   ), (   )

1-2 다음을 읽고 오이의 수를 두 가지 방법으로 읽어 보세요.

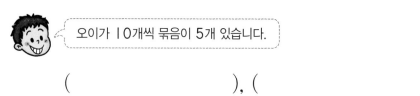

오이가 10개씩 묶음이 5개 있습니다.

(   ), (   )

★ **모으기와 가르기의 응용**

2 ⊙과 ⓒ에 알맞은 수를 모으기 하면 얼마인지 구해 보세요.

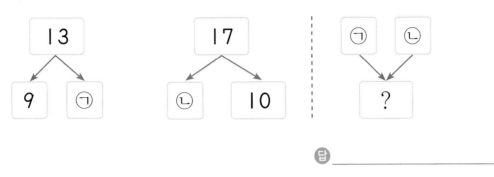

답 _____

개념
피드백

• 여러 가지 방법으로 가르기

|3은 (1, |2), (2, |1), (3, |0), (4, 9) 등 여러 가지 방법으로 가르기 할 수 있고,

|7은 (1, |6), (2, |5), (3, |4), (4, |3) 등 여러 가지 방법으로 가르기 할 수 있습니다.

2-1 ㉮와 ㉯에 알맞은 수를 모으기 하면 얼마인지 구해 보세요.

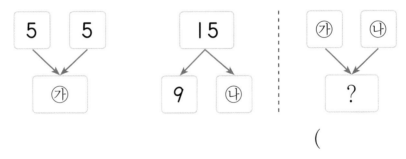

(   )

2-2 ⊙에 알맞은 수는 얼마인지 구해 보세요.

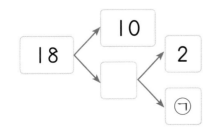

(   )

★ 수를 구한 후 크기 비교하기

3 당근과 무가 각각 다음과 같이 있습니다. 당근과 무 중 어느 것이 더 많은지 구해 보세요.

| 당근 | 10개씩 묶음 2개와 낱개 3개 |
| 무 | 열두 개 |

답 _____

개념
피드백

• 수의 크기 비교
 ① 10개씩 묶음의 수가 클수록 더 큰 수입니다.
 ② 10개씩 묶음의 수가 같을 때에는 낱개의 수가 클수록 더 큰 수입니다.

3-1 책을 더 많이 읽은 사람의 이름을 써 보세요.

세호: 난 10권을 읽고 난 후 7권을 더 읽었어.
가은: 난 동화책 7권과 위인전 9권을 읽었어.

(   )

3-2 다영이와 준수는 각각 4번씩 동전 던지기를 하였습니다. 결과가 다음과 같을 때 누구의 점수가 더 큰지 구해 보세요.

숫자 면 10점   그림 면 1점

(   )

★ **만들 수 있는 모양의 개수 구하기**

4  으로 보기 의 모양을 몇 개 만들 수 있을까요?

답 _____

4-1  으로 보기 의 모양을 몇 개 만들 수 있을까요?

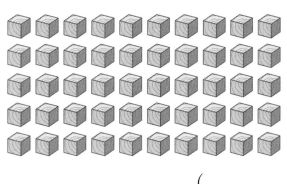

(   )

4-2  으로 보기 의 모양을 몇 개까지 만들 수 있고, 몇 개가 남는지 차례대로 써
보세요.

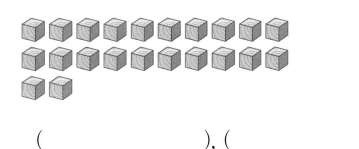

(   ), (   )

★ |만큼 더 큰 수, |만큼 더 작은 수

5 준수가 가지고 있는 카드의 수는 어떤 수인지 구해 보세요.

나는 33보다 |만큼 더 크고 35보다 |만큼 더 작은 수가 적힌 카드를 가지고 있어.

준수

답 _____

개념
피드백
• |만큼 더 큰 수: 수를 순서대로 썼을 때 바로 뒤의 수
• |만큼 더 작은 수: 수를 순서대로 썼을 때 바로 앞의 수

5-1 주어진 수보다 |만큼 더 큰 수와 |만큼 더 작은 수를 각각 구해 보세요.

|0개씩 묶음 2개와 낱개 5개인 수

|만큼 더 큰 수 (   )
|만큼 더 작은 수 (   )

5-2 지호는 수가 적혀 있는 공을 수의 순서대로 놓고 있습니다. 49가 적힌 공 바로 뒤에는 어떤 수가 적힌 공을 놓아야 하는지 구해 보세요.

(   )

3
주

교과서

⭐ 조건을 만족하는 수 구하기

6 다음 두 조건을 만족하는 수를 모두 구해 보세요.

> • 10개씩 묶음 3개와 낱개 7개인 수보다 큰 수입니다.
> • 40보다 작은 수입니다.

답 _____

개념
피드백
• ■보다 큰 수: 수를 순서대로 썼을 때 ■ 뒤에 있는 수
• ■보다 작은 수: 수를 순서대로 썼을 때 ■ 앞에 있는 수

6-1 25부터 30까지의 수 중에서 보기 의 수보다 작은 수를 모두 써 보세요.

> 보기
> 10개씩 묶음 2개와 낱개 8개인 수

(   )

6-2 수 카드 중에서 2장을 골라 한 번씩만 사용하여 30보다 크고 40보다 작은 수를 만들려고 합니다. 만들 수 있는 가장 큰 수를 구해 보세요.

(   )

1 구슬을 건우는 42개 가지고 있고, 영호는 10개씩 묶음 4개와 낱개 3개를 가지고 있습니다. 구슬을 더 많이 가지고 있는 사람은 누구인지 구해 보세요.

✏️ 구하려는 것, 주어진 것에 선을 그어 봅니다.

해결하기 영호는 구슬을 10개씩 묶음 4개와 낱개 3개를 가지고 있으므로

☐ 개 가지고 있습니다.

따라서 구슬을 더 많이 가지고 있는 사람은 ☐ 입니다.

답 구하기 ☐

2 붙임딱지를 서윤이는 10장씩 묶음 1개와 낱장 2장을 가지고 있고, 정수는 10장씩 묶음 2개와 낱장 1장을 가지고 있습니다. 붙임딱지를 더 많이 가지고 있는 사람은 누구인지 구해 보세요.

✏️ 구하려는 것, 주어진 것에 선을 그어 봅니다.

해결하기

답 구하기

3 다음 3장의 수 카드 중에서 2장을 골라 한 번씩만 사용하여 몇십몇을 만들려고 합니다. 만들 수 있는 가장 작은 수는 얼마인지 구해 보세요.

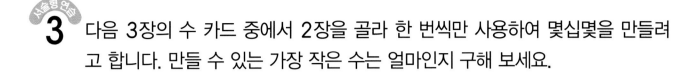

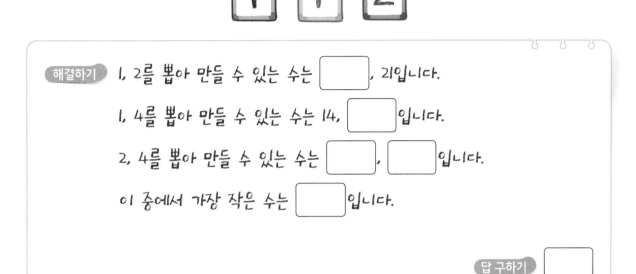

해결하기

1, 2를 뽑아 만들 수 있는 수는 ☐, 21입니다.

1, 4를 뽑아 만들 수 있는 수는 14, ☐입니다.

2, 4를 뽑아 만들 수 있는 수는 ☐, ☐입니다.

이 중에서 가장 작은 수는 ☐입니다.

답 구하기 ☐

4 다음 3장의 수 카드 중에서 2장을 골라 한 번씩만 사용하여 몇십몇을 만들려고 합니다. 만들 수 있는 가장 큰 수는 얼마인지 구해 보세요.

해결하기

답 구하기

준비물 붙임딱지

돼지 형제는 추운 겨울을 나기 위하여 집을 짓고 있습니다. 벽돌의 규칙을 찾아 비어 있는 곳에 벽돌 붙임딱지를 붙여 집을 완성해 보세요.

준비물 붙임딱지

보미는 구슬, 사탕, 초콜릿, 쿠키를 동생에게 몇 개를 주어 같은 수만큼 가지려고 해요.
붙임딱지를 붙여 똑같이 나누어 보세요.

➡ 보미가 동생에게 구슬 ☐개를 주면 수가 같아집니다.

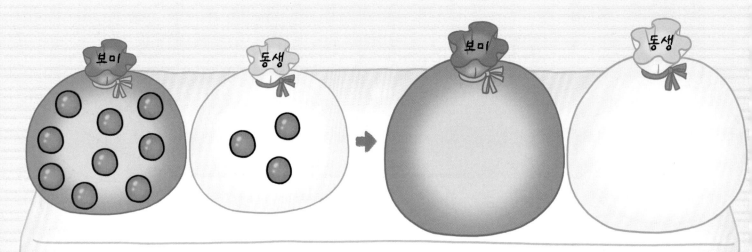

➡ 보미가 동생에게 구슬 ☐개를 주면 수가 같아집니다.

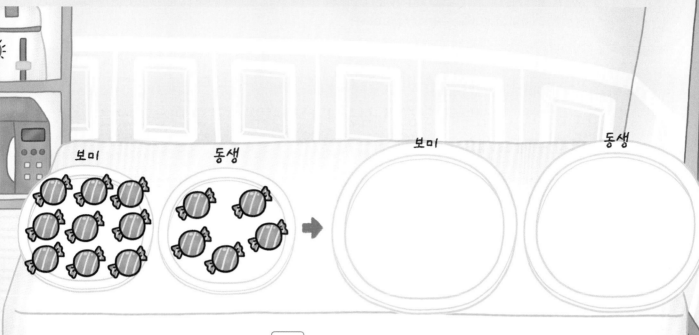

➡️ 보미가 동생에게 사탕 ☐개를 주면 수가 같아집니다.

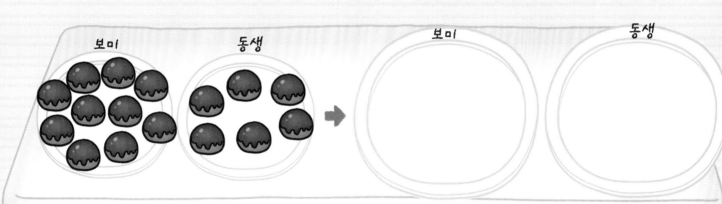

➡️ 보미가 동생에게 초콜릿 ☐개를 주면 수가 같아집니다.

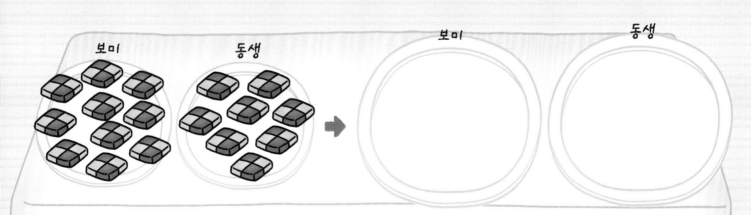

➡️ 보미가 동생에게 쿠키 ☐개를 주면 수가 같아집니다.

준비물 붙임딱지

1 동현이네 모둠 학생 15명이 배구와 야구를 하려고 합니다. 배구를 하는 학생이 야구를 하는 학생보다 3명 더 적습니다. 배구와 야구를 하는 학생은 각각 몇 명인지 구해 보세요.

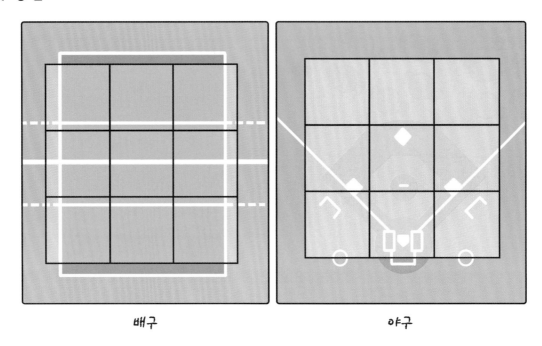

배구   야구

① 15를 여러 가지 방법으로 가르기 해 보세요.

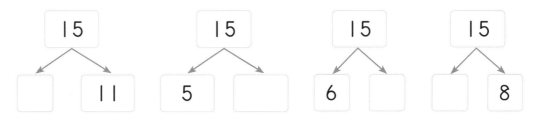

② 배구와 야구를 하는 학생 수에 맞게 위 그림의 각 칸에 붙임딱지를 붙여 보세요.

③ 배구와 야구를 하는 학생은 각각 몇 명일까요?

배구 (   ), 야구 (   )

2 극장의 자리를 나타낸 그림입니다. 민기의 자리와 세진이의 자리를 찾아보세요.

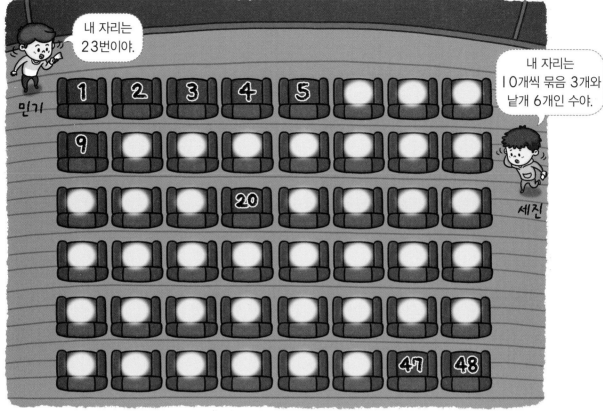

① 수의 순서에 맞게 위의 빈 곳에 알맞은 수를 써넣으세요.

② 민기의 자리를 찾아 ○표 하세요.

③ 세진이의 자리를 찾아 △표 하세요.

3 지연이는 동생과 블록 쌓기 놀이를 하고 있습니다. 지연이와 동생 중에서 누가 블록을 더 많이 사용했는지 구해 보세요.

지연

동생

① 지연이가 사용한 블록은 모두 몇 개일까요?

( )

② 동생이 사용한 블록은 모두 몇 개일까요?

( )

③ 지연이와 동생 중에서 누가 블록을 더 많이 사용했을까요?

( )

4 영진이네 반 학생들이 앞에서부터 번호 순서대로 서 있습니다. 영진이의 번호는 22번일 때 물음에 답하세요.

① 영진이를 찾아 ○표 하세요.

② 준희와 영진이 사이에 서 있는 학생은 몇 명일까요?

(   )

③ 영진이 뒤로 8명이 더 서 있습니다. 맨 마지막에 서 있는 학생의 번호는 몇 번일까요?

(   )

준비물 붙임딱지

1 생일 케이크에 꽂는 긴 초는 10살, 짧은 초는 1살을 나타냅니다. 수지 이모의 생일 케이크에 다음과 같이 초를 꽂았습니다. 삼촌이 이모보다 3살 더 많을 때 삼촌 케이크에 초 붙임딱지를 붙여 보세요.

이모   삼촌

❶ 이모의 나이는 몇 살일까요?

(   )

❷ 삼촌의 나이는 몇 살일까요?

(   )

❸ 삼촌의 케이크에 초 붙임딱지를 붙여 보세요.

2 신데렐라가 모든 칸을 한 번씩 지나서 호박 마차가 있는 곳까지 갈 수 있도록
보기 와 같이 수를 순서대로 연결해 보세요. (단, 가로 또는 세로 방향으로만
선을 이을 수 있습니다.)

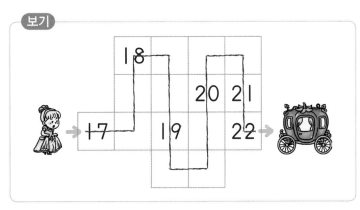

①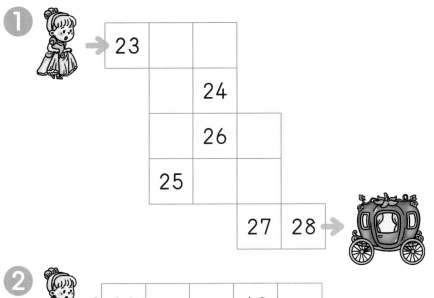

②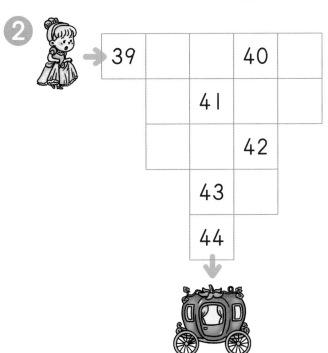

한 번 지나간 칸은
다시 지나갈 수
없어요.

3 준수와 나은이는 과녁에 화살을 4개씩 쏘아 과녁에 모두 맞혔습니다. 준수와 나은이 중 누구의 점수가 더 높은지 구해 보세요.

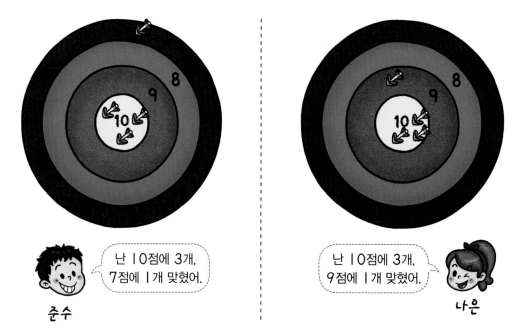

① 준수가 얻은 점수는 몇 점일까요?

(   )

② 나은이가 얻은 점수는 몇 점일까요?

(   )

③ 준수와 나은이 중 누구의 점수가 더 높을까요?

(   )

4 주어진 수 중에서 조건에 맞는 수를 찾아 빈 곳에 써넣으세요.

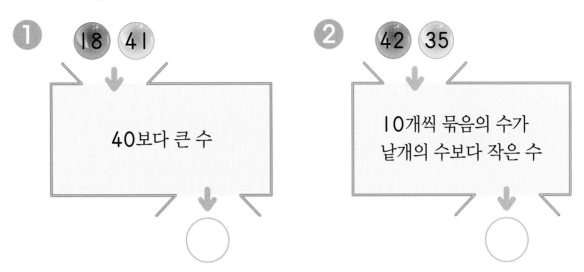

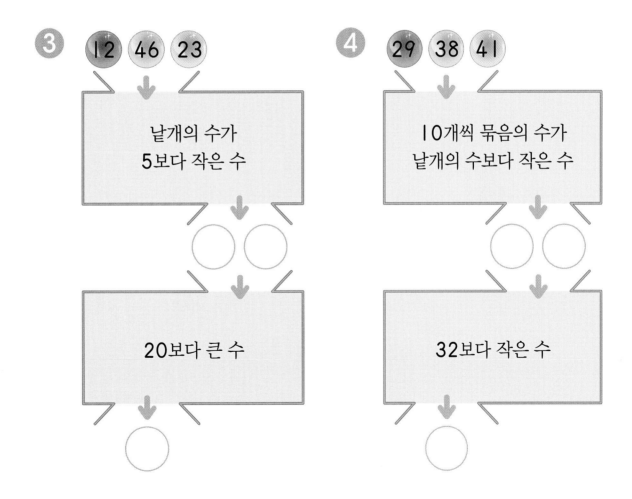

3 단계 교과 사고력 완성

1 마녀는 더 큰 수를 따라서 미로를 통과합니다. 미로를 통과하는 길을 나타내어 보세요. (단, 오른쪽과 아래쪽으로만 갈 수 있습니다.)

①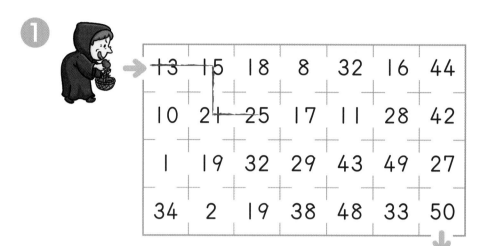

②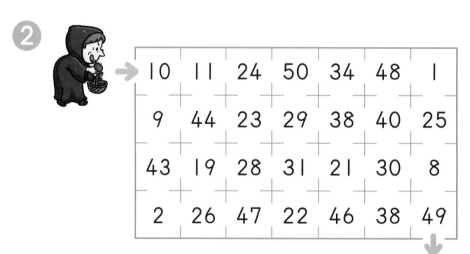

4
주

사고력

평가 영역 ☐개념 이해력 ☑개념 응용력 ☐창의력 ☐문제 해결력

2 지우와 세형이는 수 이어 말하기 놀이를 하고 있습니다. 다음을 보고 지우가 이기려면 다음 차례에 수를 어떻게 말해야 하는지 빈 곳에 써넣으세요.

> **수 이어 말하기 놀이**
> • 1부터 시작하여 한 사람이 1개에서 3개까지의 수를 이어 말할 수 있습니다.
> • 19를 말하는 사람이 지는 놀이입니다.

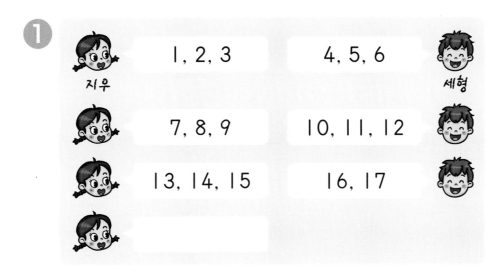

① 지우: 1, 2, 3 / 세형: 4, 5, 6
지우: 7, 8, 9 / 세형: 10, 11, 12
지우: 13, 14, 15 / 세형: 16, 17
지우: [   ]

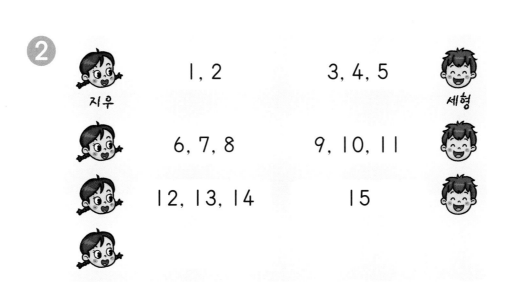

② 지우: 1, 2 / 세형: 3, 4, 5
지우: 6, 7, 8 / 세형: 9, 10, 11
지우: 12, 13, 14 / 세형: 15
지우: [   ]

1 10개가 되도록 ○를 그려 보세요.

2 그림을 보고 □ 안에 알맞은 수를 써넣고 두 가지 방법으로 수를 읽어 보세요.

읽기 [   ] 또는 [   ]

3 빈 곳에 알맞은 수를 써넣으세요.

(1)
| 8 | | 10 |

(2)
15
6 | □

(3)
8 | 9

4 빈칸에 알맞은 수를 써넣으세요.

수	10개씩 묶음	낱개
23	2	
47		7
	3	2

5 같은 수끼리 이어 보세요.

 ·

· 40 ·

· 스물다섯

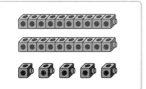 ·

· 50 ·

· 사십

 ·

· 25 ·

· 쉰

6 빈 곳에 알맞은 수를 써넣으세요.

(1)

27 — 28 — ◯ — ◯ — ◯ — 32 — ◯

(2)
41 — 40 — ◯ — ◯ — 37 — ◯ — ◯

7 보기의 수보다 더 큰 수에 ◯표 하세요.

보기

35

19   26   48

8 두 수를 모아서 16이 되는 수끼리 이어 보세요.

| 5 | 7 | 10 | 12 |

| 6 | 9 | 11 | 4 |

9 10을 읽는 방법이 <u>다른</u> 하나를 찾아 기호를 써 보세요.

> ㉠ 정우의 동생은 10살입니다.
> ㉡ 과수원에서 사과 10개를 땄습니다.
> ㉢ 어머니의 생신은 7월 10일입니다.
> ㉣ 나는 매일 10시에 잠을 잡니다.

(   )

10 작은 수부터 순서대로 써 보세요.

| 46 | 17 | 30 | 28 |

(   )

11 두 조건을 만족하는 수는 모두 몇 개일까요?

> · 35보다 큽니다.
> · 4 l 보다 작습니다.

(   )

4
주
사고력

12 주어진 수보다 l 만큼 더 큰 수를 구해 보세요.

> l 0개씩 묶음의 수가 3이고 낱개의 수가 7인 수

(   )

13 규칙에 따라 수를 놓으려고 합니다. 빈칸에 알맞은 수를 써넣으세요.

l	2	3	4	5	6	7	8	9	
26	27	28	29	30	31	32	33		l l
25	44		46	47	48	49	→	35	l 2
24		42	41	40	39	38	37	36	l 3
	22	21	20	l 9	l 8	l 7	l 6	l 5	l 4

14 참외 11개를 두 접시에 나누어 담으려고 합니다. 한 접시에 5개를 담으면 다른 접시에는 몇 개를 담아야 할까요?

(   )

15 주어진 수 중에서 조건에 맞는 수를 빈 곳에 써넣으세요.

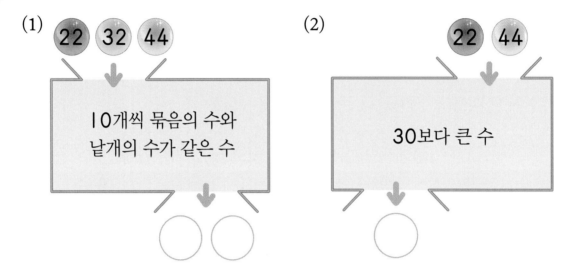

(1) **22** **32** **44**

10개씩 묶음의 수와 낱개의 수가 같은 수

(2) **22** **44**

30보다 큰 수

16 신데렐라가 모든 칸을 한 번씩 지나서 호박 마차가 있는 곳까지 갈 수 있도록 수를 순서대로 연결해 보세요. (단, 가로 또는 세로 방향으로만 선을 이을 수 있습니다.)

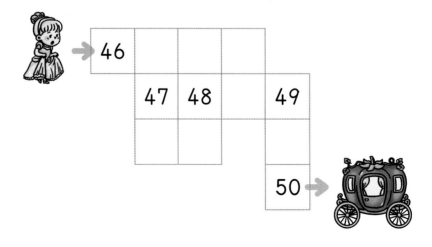

1 치아는 우리 몸에서 가장 단단한 성분으로 이루어져 있으며, 음식을 씹어 잘게 부수는 일을 합니다. 어린이의 치아와 성인의 치아를 보고 물음에 답하세요.

어린이   성인

(1) 어린이의 치아는 모두 몇 개일까요?

(   )

(2) 성인의 치아는 모두 몇 개일까요?

(   )

(3) 어린이와 성인 중 누구의 치아가 더 많을까요?

(   )

Memo

14~15쪽

고등어   갈치   꽁치

오이   가지   대파

굴   참외   멜론

스케치북   가위   풍선   어항   책가방

16~17쪽

    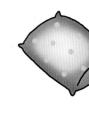

32~33쪽

34쪽

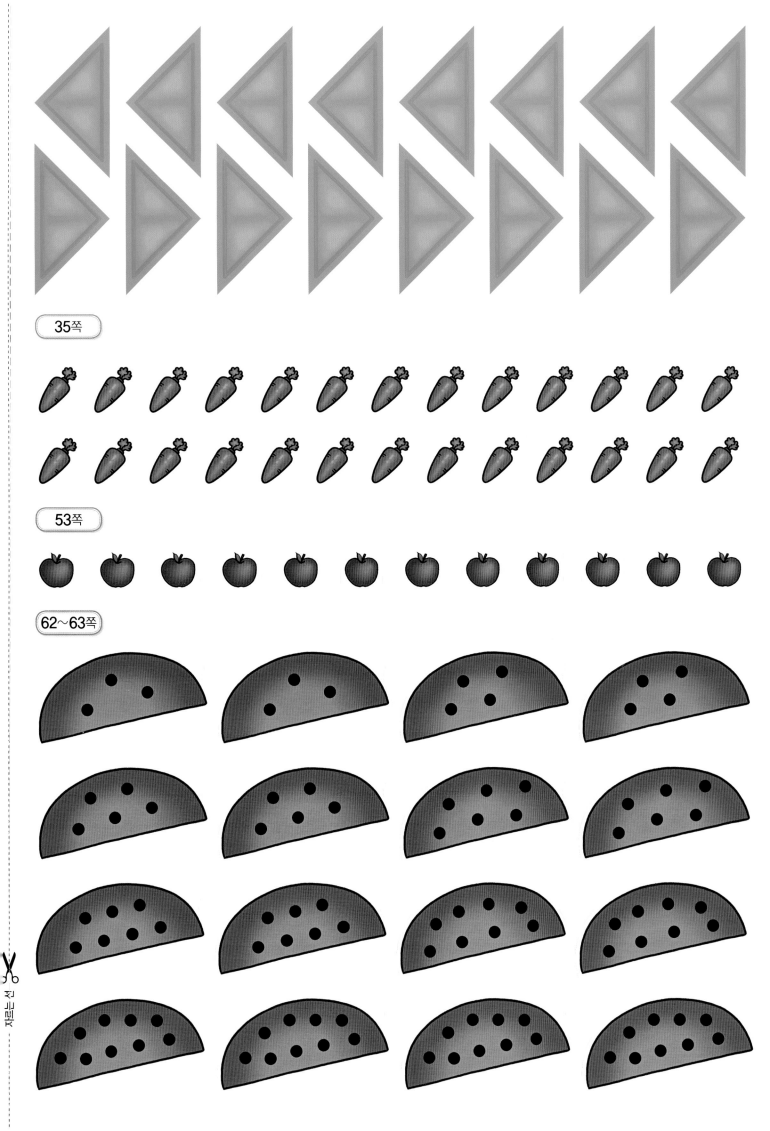

35쪽

53쪽

62~63쪽

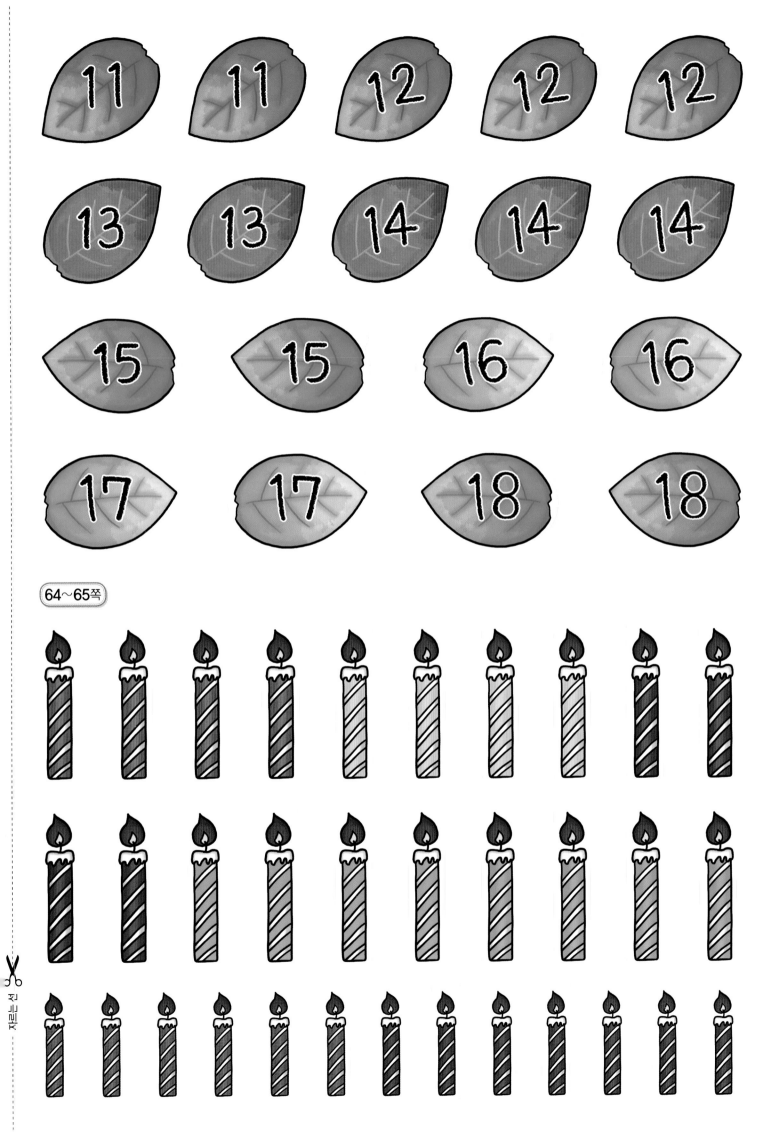

64～65쪽

80~81쪽

2	2	3	3	4	4	5	5
6	6	7	7	8	8	9	9
10	10	11	11	12	12	13	13
14	14	3	3	4	4	5	5
6	6	7	7	8	8	8	8
9	9	10	10	11	11	12	12

13　14　15　15　16　16　17　18

82〜83쪽

84쪽

88쪽

Start
GO!
교과서 개념

Run
GO!
교과서 사고력

Jump
GO!
유형 사고력

#난이도별
#천재되는_수학교재

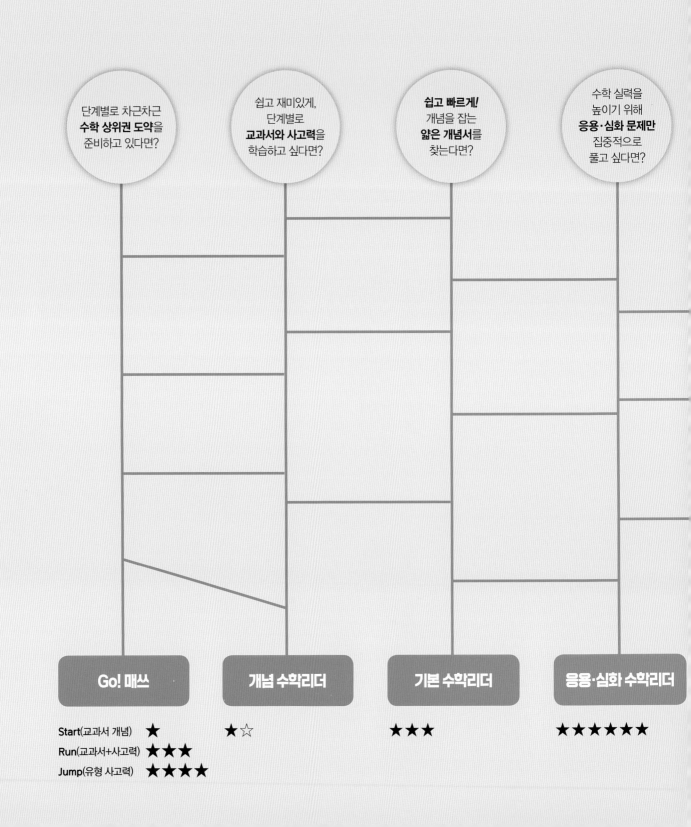

단계별로 차근차근
수학 상위권 도약을
준비하고 있다면?

쉽고 재미있게,
단계별로
교과서와 사고력을
학습하고 싶다면?

쉽고 빠르게!
개념을 잡는
얇은 개념서를
찾는다면?

수학 실력을
높이기 위해
응용·심화 문제만
집중적으로
풀고 싶다면?

Go! 매쓰

개념 수학리더

기본 수학리더

응용·심화 수학리더

Start(교과서 개념) ★　　　★☆　　　　★★★　　　　★★★★★
Run(교과서+사고력) ★★★
Jump(유형 사고력) ★★★★

교과서 GO! 사고력 GO!

GO! 매쓰

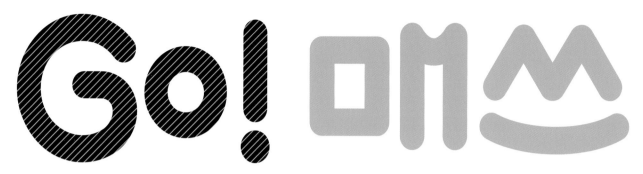

Run-C
교과서 사고력

정답과 풀이　수학 1-1

정답과 해설
포인트 2가지

▶ 선생님이나 학부모가 쉽게 문제와 풀이를 한눈에 볼 수 있어요.

▶ 자세한 활동 수업에 대한 팁이 가득하게 들어 있어요.

4 비교하기

숲속에서 비교하기

숲속에 있는 그림을 보면 비교할 수 있는 부분이 많이 있어요.
엄마 코끼리 코의 길이와 아기 코끼리 코의 길이를 비교할 수 있고, 동물끼리의 무게도 비교할 수 있어요. 또 엄마 코끼리의 귀와 아기 코끼리의 귀의 넓이도 비교할 수 있고, 코끼리의 물통과 토끼의 물통도 비교할 수 있어요.

코끼리는 오리보다 더 무거워요.

코끼리 코는 토끼 귀보다 더 길어요.

코끼리의 물통은 토끼의 물통보다 물이 더 많이 들어가요.

엄마코끼리의 귀는 아기 코끼리의 귀보다 더 넓어요.

🔦 코끼리 코의 길이를 비교하여 알맞게 이어 보세요.

더 짧아요

더 길어요

🔦 코끼리와 토끼의 무게를 비교하여 알맞게 이어 보세요.

더 무거워요

더 가벼워요

🔦 물의 양을 비교하여 알맞게 이어 보세요.

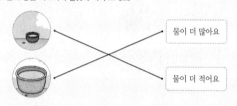

물이 더 많아요

물이 더 적어요

1 단계 교과서 개념 잡기

개념 확인 문제

정답과 풀이 p.1

 개념 1 길이 비교하기

• 두 가지 물건의 길이 비교하기

길이 비교하는 방법

한쪽 끝을 맞추어 보았을 때 다른 쪽 끝이 더 많이 나올수록 더 깁니다.

더 길다

더 짧다

➡ ___은 ___보다 더 깁니다.

___는 ___보다 더 짧습니다.

> 두 물건의 길이를 비교할 때는 '더 길다', '더 짧다'로 나타내요.

• 세 가지 물건의 길이 비교하기

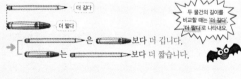

가장 짧다

가장 길다

➡ ___가 가장 짧습니다.

___가 가장 깁니다.

> 세 물건의 길이를 비교할 때는 '가장 길다', '가장 짧다'로 나타내요.

• 키 비교하기

가장 크다 가장 작다

• 높이 비교하기

가장 높다 가장 낮다

1-1 더 긴 것에 ◯표 하세요.

(1) ( ) (2) (◯)

(◯) ( )

1-2 가장 긴 것에 ◯표, 가장 짧은 것에 △표 하세요.

( )

(◯)

(△)

❖ 왼쪽 끝이 맞추어져 있으므로 오른쪽으로 가장 많이 나온 국자가 가장 길고, 가장 적게 나온 빗이 가장 짧습니다.

1-3 키가 더 큰 쪽에 ◯표 하세요.

(1)  (2)

( ) (◯)   (◯) ( )

❖ 아래쪽이 맞추어져 있으므로 위쪽으로 더 많이 올라간 것이 키가 더 큽니다.

1-4 높이가 더 낮은 쪽에 △표 하세요.

(1) 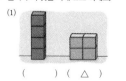 (2)

( ) (△)   (△) ( )

1단계 교과서 개념 잡기

개념 2 무게 비교하기

• 두 가지 물건의 무게 비교하기
두 가지 물건의 무게를 비교할 때는 '더 무겁다', '더 가볍다'로 나타냅니다.

무게 비교하는 방법

① 물건을 손으로 들어 보았을 때 힘이 더 많이 들수록 더 무겁습니다.
② 물건을 양팔저울에 올려놓았을 때 아래로 내려갈수록 더 무겁습니다.

손으로 들어 비교하기 | 양팔저울로 이동하여 비교하기
더 가볍다 / 더 무겁다 | 더 가볍다 / 더 무겁다

→ 은 보다 더 가볍습니다.
→ 은 보다 더 무겁습니다.

• 세 가지 물건의 무게 비교하기
세 가지 물건의 무게를 비교할 때는 '가장 무겁다', '가장 가볍다'로 나타냅니다.

가장 가볍다 / 가장 무겁다

→ 가 가장 무겁고, 이 가장 가볍습니다.
→ 은 보다 더 가볍습니다.

8 · Run-C 1-1

개념 확인 문제

2-1 더 무거운 것에 ○표 하세요.

(1)
(○) ( )

(2)
( ) (○)

✿ (1) 헬리콥터는 오토바이보다 더 무겁습니다.
(2) 전자레인지는 컵보다 더 무겁습니다.

2-2 더 가벼운 것에 △표 하세요.

(1)
(△) ( )

(2)
( ) (△)

✿ (1) 야구공은 농구공보다 더 가볍습니다.
(2) 고추는 무보다 더 가볍습니다.

2-3 가장 무거운 것에 ○표, 가장 가벼운 것에 △표 하세요.

(△) (○) ( )

✿ 피아노가 가장 무겁고, 의자가 가장 가볍습니다.

2-4 왼쪽에 있는 귤보다 더 가벼운 것을 찾아 △표 하세요.

( ) ( ) (△)

✿ 사과와 수박은 귤보다 더 무겁고, 딸기는 귤보다 더 가볍습니다.

4. 비교하기 · 9

1단계 교과서 개념 잡기

개념 3 넓이 비교하기

• 두 가지 물건의 넓이 비교하기
두 가지 물건의 넓이를 비교할 때는 '더 넓다', '더 좁다'로 나타냅니다.

넓이 비교하는 방법

물건의 한쪽 끝을 맞추어 겹쳐 보았을 때 남는 부분이 많을수록 더 넓습니다.

  →

더 넓다 / 더 좁다

→ 은 보다 더 넓습니다.
→ 은 보다 더 좁습니다.

• 세 가지 물건의 넓이 비교하기
세 가지 물건의 넓이를 비교할 때는 '가장 넓다', '가장 좁다'로 나타냅니다.

가장 넓다 / 가장 좁다

→ 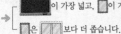이 가장 넓고, 이 가장 좁습니다.
→ 은 보다 더 좁습니다.

10 · Run-C 1-1

개념 확인 문제

3-1 더 넓은 것에 ○표 하세요.

(1)
(○) ( )

(2)
( ) (○)

✿ (1) 겹쳐 보았을 때 남는 부분이 있는 왼쪽 접시가 더 넓습니다.
(2) 겹쳐 보았을 때 남는 부분이 있는 오른쪽 방석이 더 넓습니다.

3-2 더 좁은 것에 △표 하세요.

(1)
( ) (△)

(2)
(△) ( )

✿ (1) 겹쳐 보았을 때 남는 부분이 없는 오른쪽 삼각자가 더 좁습니다.
(2) 겹쳐 보았을 때 남는 부분이 없는 왼쪽 편지지가 더 좁습니다.

3-3 가장 넓은 것에 ○표, 가장 좁은 것에 △표 하세요.

(○) (△) ( )

✿ 가장 넓은 것은 스케치북이고, 가장 좁은 것은 색종이입니다.

3-4 왼쪽 손수건으로 완전히 가릴 수 있는 물건에 ○표 하세요.

(○) ( )

✿ 수첩이 손수건보다 더 좁으므로 손수건으로 수첩을 완전히 가릴 수 있습니다.

4. 비교하기 · 11

① 교과서 개념 잡기

개념확인 문제

※ 정답과 풀이 p.3

개념 4 담을 수 있는 양 비교하기

· 두 가지 그릇에 담을 수 있는 양 비교하기
  두 가지 그릇에 담을 수 있는 양을 비교할 때는 '더 많다', '더 적다'로 나타냅니다.

그릇의 크기가 클수록 담을 수 있는 양이 더 많아요.

더 많다   더 적다

→ 은 보다 담을 수 있는 양이 더 많습니다.
  은 보다 담을 수 있는 양이 더 적습니다.

· 세 가지 그릇에 담을 수 있는 양 비교하기
  세 가지 그릇에 담을 수 있는 양을 비교할 때는 '가장 많다', '가장 적다'로 나타냅니다.

가장 많다   가장 적다

→ 이 담을 수 있는 양이 가장 많습니다.
  이 담을 수 있는 양이 가장 적습니다.

· 그릇에 담긴 양 비교하기

더 많다   더 적다

가장 많다   가장 적다

그릇의 모양과 크기가 같을 때 담긴 물의 높이가 높을수록 담긴 양이 더 많습니다.

담긴 물의 높이가 같을 때 그릇의 크기가 클수록 담긴 양이 더 많습니다.

12 · Run-C 1-1

4-1 담을 수 있는 양이 더 많은 것에 ○표 하세요.

(1)

( )   (○)

(2)

(○)   ( )

❖ (1) 오른쪽 어항이 왼쪽 어항보다 담을 수 있는 양이 더 많습니다.
  (2) 주전자가 컵보다 담을 수 있는 양이 더 많습니다.

4-2 담을 수 있는 양이 더 적은 것에 △표 하세요.

(1)

( )   (△)

(2)

(△)   ( )

❖ (1) 오른쪽 냄비가 왼쪽 냄비보다 담을 수 있는 양이 더 적습니다.
  (2) 왼쪽 비커가 오른쪽 비커보다 담을 수 있는 양이 더 적습니다.

4-3 담을 수 있는 양이 가장 많은 것에 ○표, 가장 적은 것에 △표 하세요.

( )   (○)   (△)

❖ 그릇의 크기가 클수록 담을 수 있는 양이 많으므로 둘째 그릇에 가장 많이 담을 수 있고, 셋째 그릇에 가장 적게 담을 수 있습니다.

4-4 주스의 양이 가장 많은 것에 ○표, 가장 적은 것에 △표 하세요.

(○)   (△)   ( )

❖ 컵의 크기가 같으므로 컵에 담긴 주스의 높이를 비교합니다.
  첫째 주스의 양이 가장 많고 둘째 주스의 양이 가장 적습니다.

4. 비교하기 · 13

PLAY 교과서 개념 스토리　캠핑장에서 비교하기

민지네 가족은 캠핑장에 갔습니다. 캠핑장에서 사진도 찍고, 요리도 하고, 약수터에서 물도 받습니다. 글을 읽고 상황에 맞게 붙임딱지를 붙여 그림을 완성해 보세요.

민지의 가방은 엄마의 가방보다 더 좁습니다.

아빠가 엄마보다 더 많은 양을 담을 수 있는 그릇으로 요리합니다.

민지의 베개가 동생의 베개보다 더 넓습니다.

민지의 거울이 가장 좁고, 엄마의 거울이 가장 넓습니다.

민지의 주스는 아빠의 주스보다 양이 더 많고 엄마의 주스보다 양이 더 적습니다.

아빠의 물통이 담을 수 있는 양이 가장 많습니다.

---

② 단계 교과서 개념 다지기

정답과 풀이 p.4

개념1 길이 비교하기

01 가장 긴 것에 ○표, 가장 짧은 것에 △표 하세요.

(1) (○) (△) ( )
(2) (○) (△)

✦ (1) 왼쪽 끝이 맞추어져 있으므로 오른쪽 끝이 가장 많이 나온 빨간색 연결큐브가 가장 길고, 가장 적게 나온 파란색 연결큐브가 가장 짧습니다.
(2) 오른쪽 끝이 맞추어져 있으므로 왼쪽 끝이 가장 많이 나온 칫솔이 가장 길고, 가장 적게 나온 치약이 가장 짧습니다.

02 옥수수보다 더 긴 것에 모두 ○표 하세요.

(○)
( )
(○)

✦ 왼쪽 끝이 맞추어져 있으므로 옥수수의 오른쪽과 비교해 보면 옥수수보다 더 긴 것은 오이와 파입니다.

03 길이가 짧은 것부터 순서대로 1, 2, 3을 써 보세요.

(1)
(3)
(2)

✦ 오른쪽 끝이 맞추어져 있으므로 왼쪽 끝이 가장 많이 나온 자가 가장 길고, 가장 적게 나온 색연필이 가장 짧습니다.

개념2 키, 높이 비교하기

04 키가 가장 큰 쪽에 ○표, 가장 작은 쪽에 △표 하세요.

(△) (○) ( )

✦ 아래쪽이 맞추어져 있으므로 위쪽으로 가장 많이 올라간 닭이 키가 가장 크고, 가장 적게 올라간 병아리가 키가 가장 작습니다.

05 학교보다 더 낮은 건물을 모두 찾아 써 보세요.

(집, 도서관)

✦ 아래쪽이 맞추어져 있으므로 위쪽을 비교하면 학교보다 아래쪽에 있는 건물은 집과 도서관입니다.

06 키가 작은 사람부터 순서대로 1, 2, 3을 써 보세요.

(3) (1) (2)

✦ 머리끝이 맞추어져 있으므로 아래쪽을 비교하면 가장 많이 내려가 있는 사람이 키가 가장 크고 가장 적게 내려가 있는 사람이 키가 가장 작습니다.

 **교과서 개념 다지기**

정답과 풀이 p.5

개념 3 무게 비교하기

07 더 가벼운 쪽에 △표 하세요.

(1) 　　　(2)

(△)　( )　　( )　(△)

❖ (1) 시소는 올라간 쪽이 더 가볍습니다.
(2) 양팔저울은 올라간 쪽이 더 가볍습니다.

08 무거운 것부터 순서대로 기호를 써 보세요.

(㉢, ㉠, ㉡)

❖ 수박이 가장 무겁고 풍선이 가장 가볍습니다.

09 각각의 상자 위에 앉았던 동물은 어떤 동물인지 이어 보세요.

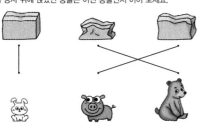

❖ 가장 많이 찌그러진 상자 위에는 가장 무거운 동물인 곰이, 가장 적게 찌그러진 상자 위에는 가장 가벼운 동물인 토끼가 앉았습니다.

개념 4 넓이 비교하기

10 좁은 것부터 순서대로 1, 2, 3을 써 보세요.

(2)　(1)　(3)

❖ 500원짜리 동전이 가장 넓고, 50원짜리 동전이 가장 좁습니다.

11 왼쪽 그림을 자르거나 접지 않고 봉투에 넣으려고 합니다. 어느 것을 고르는 것이 좋은지 기호를 써 보세요.

　가 　나 　다

(다)

❖ 그림보다 봉투가 좁으면 그림을 봉투에 넣을 수 없습니다.
따라서 다 봉투에 그림을 넣을 수 있습니다.

12 수를 순서대로 이어 보고, 더 좁은 쪽에 △표 하세요.

( )　　(△)

❖ 오리가 있는 쪽이 더 좁습니다.

1 주 교과서

---

② **교과서 개념 다지기**

정답과 풀이 p.5

개념 5 담을 수 있는 양 비교하기

13 그림을 보고 □ 안에 알맞은 말을 써넣으세요.

컵　　양동이　　주전자

(1) 양동이 은(는) 주전자보다 담을 수 있는 양이 더 많습니다.

(2) 담을 수 있는 양이 가장 적은 것은 컵 입니다.

14 담을 수 있는 양이 많은 것부터 순서대로 1, 2, 3을 써 보세요.

(1)　(3)　(2)

❖ 그릇의 크기가 클수록 담을 수 있는 양이 많습니다.

15 담을 수 있는 양이 왼쪽 물병보다 더 많은 것을 모두 찾아 기호를 써 보세요.

(㉡, ㉣)

❖ 왼쪽 물병보다 더 큰 그릇을 찾으면 ㉡ 냄비와 ㉣ 생수통입니다.

개념 6 담긴 양 비교하기

16 담긴 물의 양이 더 적은 쪽에 △표 하세요.

(1) 　　(2) 　

(△)　( )　　( )　(△)

❖ (1) 그릇의 모양과 크기가 같으므로 물의 높이가 더 낮은 쪽의 그릇에 담긴 물의 양이 더 적습니다.
(2) 담긴 물의 높이가 같으므로 그릇의 크기가 더 작은 쪽에 담긴 물의 양이 더 적습니다.

17 왼쪽보다 담긴 우유의 양이 더 많은 것을 찾아 기호를 써 보세요.

(㉡)

❖ 모양과 크기가 같은 컵이므로 우유의 높이가 높을수록 우유의 양이 많은 것입니다.

18 희수, 수현, 민종이는 다음과 같이 들어 있는 주스를 모두 마셨습니다. 주스를 가장 많이 마신 사람은 누구일까요?

희수　　수현　　민종

(민종)

❖ 주스의 높이가 모두 같으므로 컵의 크기가 가장 큰 쪽에 들어 있는 주스를 마신 민종이가 가장 많이 마셨습니다.

1 주 교과서

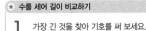

③ 교과서 실력 다지기

정답과 풀이 p.6

★ 수를 세어 길이 비교하기

1 가장 긴 것을 찾아 기호를 써 보세요.

 가 나   다

答 **다**

개념 키드백 • 수를 세어 길이 비교하기
한쪽 끝이 맞춰져 있으므로 연결큐브의 수를 세어 길이를 비교합니다.

❖ 가: 4개, 나: 3개, 다: 5개 ➡ 가장 긴 것은 다입니다.

1-1 가장 긴 연필을 찾아 기호를 써 보세요.

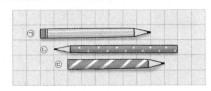

(㉡)

❖ 연필의 길이가 ㉠은 8칸, ㉡은 9칸, ㉢은 7칸입니다.
따라서 가장 긴 연필은 ㉡입니다.

1-2 굵은 선의 길이가 가장 긴 것에 ○표, 가장 짧은 것에 △표 하세요.

(△) (○) ( )

❖ 첫 번째 굵은 선의 길이는 7칸, 두 번째 굵은 선의 길이는 9칸,
세 번째 굵은 선의 길이는 8칸입니다.

24 · Run - C 1-1

★ 여러 가지 방법으로 무게 비교하기

2 더 무거운 쪽에 ○표 하세요.

(1)  (2)

( ) (○)   (○) ( )

개념 키드백 • 여러 가지 방법으로 무게 비교하기
① 시소, 양팔저울은 아래로 내려가는 쪽이 더 무겁습니다.
② 고무줄, 용수철은 더 많이 늘어날수록 더 무겁습니다.

2-1 배추와 양파 중 더 가벼운 것은 어느 것일까요?

(**양파**)

❖ 시소는 가벼운 쪽이 위로 올라가므로 더 가벼운 것은 양파입니다.

2-2 똑같은 고무줄에 물건을 매달았더니 다음과 같이 늘어났습니다. 가장 무거운
것은 어느 것인지 써 보세요.

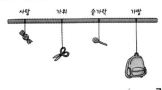

(**가방**)

❖ 고무줄은 무게가 무거울수록 많이 늘어나므로 고무줄이 가장
많이 늘어난 가방이 가장 무겁습니다.

4. 비교하기 · 25

③ 교과서 실력 다지기

정답과 풀이 p.6

★ 구부러진 선의 길이 비교하기

3 길이가 더 긴 것에 ○표 하세요.

 (○)
  ( )

개념 키드백 • 구부러진 선의 길이 비교
많이 구부러져 있을수록 선을 곧게 폈을 때 길이가 더 깁니다.

❖ 양쪽 끝이 맞추어져 있으므로 더 많이 구부러진 위쪽이 더 깁
니다.

3-1 줄넘기의 길이가 가장 긴 것에 ○표, 가장 짧은 것에 △표 하세요.

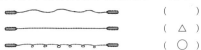

( )
(△)
(○)

❖ 양쪽 끝이 맞추어져 있으므로 많이 구부러진 것일수록 긴 것
입니다. 따라서 가장 많이 구부러진 줄넘기가 가장 길고 곧게
펴 있는 줄넘기가 가장 짧습니다.

3-2 보미네 집에서 학교까지 가는 길이 다음과 같을 때 가장 가까운 길을 찾아
기호를 써 보세요.

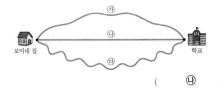

(㉯)

❖ 가장 곧은 길이 가장 가까운 길입니다. 따라서 가장 가까운 길
26 · Run - C 1-1 은 ㉯입니다.

★ 가득 채운 물 옮겨 담기

4 보기 의 컵에 물을 가득 담아 오른쪽 주어진 그릇에 부었을 때 넘치지 않고
모두 담을 수 있는 것을 찾아 기호를 써 보세요.

 보기 ㉠   ㉡   ㉢

(㉡)

개념 키드백 ① 큰 컵에 물을 가득 담아 작은 컵에 부어 보면 물이 넘칩니다.
② 작은 컵에 물을 가득 담아 큰 컵에 부어 보면 넘치지 않고 모두 담을 수 있습니다.

❖ 보기 의 컵보다 더 큰 그릇은 ㉡이므로 ㉡에 담았을 때 넘치
지 않고 모두 담을 수 있습니다.

4-1 보기 의 그릇에 물을 가득 담아 오른쪽 주어진 그릇에 부었을 때 넘치지 않고
모두 담을 수 있는 것을 찾아 기호를 써 보세요.

 보기 ㉠   ㉡

(㉠)

❖ 보기 의 그릇보다 더 큰 그릇은 ㉠이므로 ㉠에 담았을 때 넘치
지 않고 모두 담을 수 있습니다.

4-2 물을 옮겨 담으면 어떻게 될지 그려 보세요.

 예

❖ 그릇의 크기가 오른쪽이 왼쪽보다 더 크므로 물을 옮겨 담으
면 반쯤 찰 것입니다.

4. 비교하기 · 27

3 교과서 실력 다지기

정답과 풀이 p.7

★ 칸 수로 넓이 비교하기

5 색칠한 부분이 더 넓은 것은 어느 것인지 기호를 써 보세요.

(㉯)

개념 키드백 · 칸 수로 넓이 비교하기
한 칸의 크기가 같을 때 칸 수가 많을수록 더 넓습니다.
✦ ㉮는 6칸, ㉯는 7칸이므로 색칠한 칸 수가 더 많은 ㉯가 색칠한
부분이 더 넓습니다.

5-1 색칠한 부분이 좁은 것부터 순서대로 기호를 써 보세요.

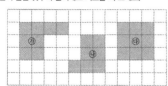

✦ ㉮는 8칸, ㉯는 7칸, ㉰는 9칸이므로 (㉯, ㉮, ㉰)
가장 좁은 것은 ㉯, 가장 넓은 것은 ㉰입니다.

5-2 가장 넓은 부분에 심은 것은 무엇인지 찾아 써 보세요.

(장미)

✦ 심은 칸 수를 세어 보면 장미는 9칸, 튤립은 8칸, 백합은 7칸
입니다. 따라서 가장 넓은 부분에 심은 것은 칸 수가 가장 많
은 장미입니다.

28 · Run-C 1-1

★ 세 사람의 무게 비교하기

6 효정, 서진, 지우가 시소를 타고 있습니다. 가장 무거운 사람은 누구일까요?

(1) 서진이는 효정이보다 더 ((무겁습니다) , 가볍습니다).
(2) 서진이는 지우보다 더 (무겁습니다 , (가볍습니다)).

지우

개념 키드백 · 시소로 무게 비교하기
시소는 위로 올라간 쪽이 더 가볍고, 아래로 내려간 쪽이 더 무겁습니다.

6-1 윤주, 미호, 정우가 시소를 타고 있습니다. 가장 가벼운 사람은 누구일까요?

✦ 미호는 윤주보다 더 가볍고, 윤주는 정우보다 더 (미호)
가볍습니다. 따라서 미호가 가장 가볍습니다.

6-2 가벼운 동물부터 순서대로 써 보세요.

(오리, 펭귄, 하마)

✦ 펭귄이 하마보다 더 가볍고, 오리가 펭귄보다 더 가벼우므로
오리가 가장 가볍고 하마가 가장 무겁습니다.

4. 비교하기 · 29

Test 교과서 서술형 연습

정답과 풀이 p.7

1 똑같은 용수철에 상자를 매달았습니다. 가장 무거운 상자를 찾아 기호를 써 보세요.

용수철

확인하기 용수철이 늘어난 길이가 길수록 ((무거운) , 가벼운) 상자입니다.
용수철이 늘어난 길이가 가장 긴 것은 (㉠ , (㉡) , ㉢)입니다.
따라서 가장 무거운 상자는 ㉡입니다.

답 구하기 ㉡

2 똑같은 고무줄에 모양이 서로 다른 블록을 매달았습니다. 가벼운 블록부터 순서대로 기호를 써 보세요.

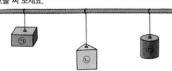

예 확인하기 (예) 고무줄이 늘어난 길이가 짧을수록 가벼운
것입니다. 고무줄이 늘어난 길이가 가장 짧은
것은 ㉠입니다. 따라서 가벼운 블록부터 순서
대로 기호를 쓰면 ㉠, ㉢, ㉡입니다.

답 구하기 ㉠, ㉢, ㉡

3 나은, 영진, 준수 중에서 가장 긴 막대를 가지고 있는 사람은 누구인지 구해 보세요.

내 막대는 영진이의 막대보다 더 길어.

내 막대는 준수의 막대보다 더 길어.

나은   영진

해결하기 나은이의 막대는 영진이의 막대보다 더 ((깁니다) , 짧습니다).
영진이의 막대는 준수의 막대보다 더 ((깁니다) , 짧습니다).
따라서 가장 긴 막대를 가지고 있는 사람은 나은(이)입니다.

답 구하기 나은

4 다음을 읽고 경은, 유진, 예서 중에서 키가 가장 작은 사람은 누구인지 구해 보세요.

• 경은이는 유진이보다 키가 더 큽니다.
• 예서는 유진이와 경은이보다 키가 더 큽니다.

예 확인하기 (예) 예서는 유진이와 경은이보다 키가 더 크므
로 예서의 키가 가장 큽니다. 경은이는 유진
이보다 키가 더 크므로 유진이는 경은이보다
키가 더 작습니다. 따라서 경은, 유진, 예서
중에서 키가 가장 작은 유진
사람은 유진이입니다.

30 · Run-C 1-1

4. 비교하기 · 31

PLAY 사고력 개념 스토리 토끼 친구 초대하기

토끼가 동물 마을에 이사를 왔어요. 친구들을 초대하기 위해 마을 지도를 나눠 주려고 해요. 거리에 맞게 붙임딱지를 붙여 토끼네 집을 찾을 수 있도록 마을 지도를 완성해 보세요.

> 우리 집에서 가까운 순서대로 있는 장소야. 동물 친구들에게 줄 마을 지도를 완성해야 해.

가장 가깝다.   가장 멀다.

토끼는 동물 친구들에게 맛있는 수프를 나누어 주려고 합니다. 동물 친구들에게 나누어 주어야 할 수프 그릇 붙임딱지를 식탁 위에 붙여 보세요.

> 몸집이 크고 무거운 동물일수록 수프를 많이 담을 수 있는 그릇으로 줄 거야.

2주 사고력

PLAY 사고력 개념 스토리 조각 맞추기

㉮와 ㉯ 조각으로 주황색으로 칠한 부분을 채우려고 합니다. ㉮와 ㉯ 조각 붙임딱지를 이용하여 붙여 보고, 어느 조각이 더 많이 필요한지 구해 보세요.

PLAY 사고력 개념 스토리 물건값 정하기

노란색 블록과 초록색 블록의 무게를 보기와 같이 당근으로 재었습니다. 물건의 값을 블록 무게에 맞추어 정할 때 각 물건의 값은 당근 몇 개와 같은지 붙임딱지를 붙여 보세요. (단, 당근의 무게는 같습니다.)

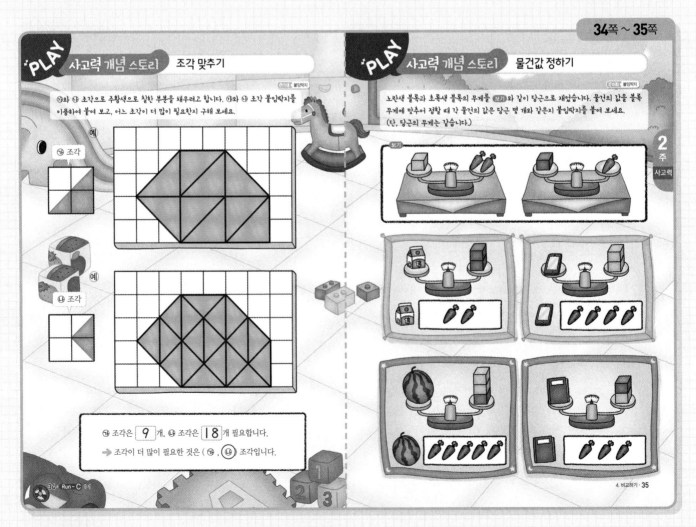

㉮ 조각은 **9** 개, ㉯ 조각은 **18** 개 필요합니다.

➡ 조각이 더 많이 필요한 것은 (㉮ , **㉯**) 조각입니다.

1 교과 사고력 잡기

정답과 풀이 p.9

1 풍경화와 인물화를 자르거나 접지 않고 액자에 넣으려고 합니다. 어느 액자를 골라야 하는지 알아보세요.

풍경화 　　인물화

① 풍경화는 어느 액자에 넣어야 하는지 ○표 하세요.

(　) 　 (　) 　 (○)

✛ 그림보다 더 좁은 액자에는 그림을 넣을 수 없으므로 그림보다 더 넓은 액자를 골라야 합니다.

② 인물화는 어느 액자에 넣어야 하는지 △표 하세요.

(　) 　 (△) 　 (　)

36 · Run - C 1-1

2 독수리, 까치, 비둘기의 대화를 보고 각 새의 둥지의 위치를 찾아 이어 보세요.

난 하늘의 제왕이야. 그래서 가장 높은 둥지에 살고 있지.

나는 참새보다 더 높고, 독수리보다 더 낮은 둥지에 살고 있어.

난 가장 낮은 둥지에 살고 있어.

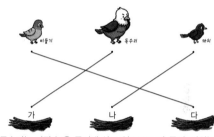

✛ 독수리는 가장 높은 둥지에 살고 있으므로 가 둥지, 까치는 참새보다 더 높고 독수리보다 더 낮은 둥지에 살고 있으므로 나 둥지, 비둘기는 가장 낮은 둥지에 살고 있으므로 다 둥지입니다.

4. 비교하기 · 37

1 교과 사고력 잡기

정답과 풀이 p.9

3 리라, 기연, 종두네 가족은 김장을 하였습니다. 똑같은 항아리에 김치를 가득 담은 다음 며칠 후에 김치의 양을 보았더니 다음과 같았습니다. 김치를 많이 먹은 가족부터 순서대로 이름을 써 보세요.

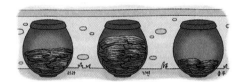

① 김치를 가장 적게 먹은 가족은 누구네 가족인지 이름을 써 보세요.

(**기연**)

✛ 김치의 양이 가장 많이 남은 기연이네 가족이 가장 적게 먹었습니다.

② 김치를 가장 많이 먹은 가족은 누구네 가족인지 이름을 써 보세요.

(**종두**)

✛ 김치의 양이 가장 적게 남은 종두네 가족이 가장 많이 먹었습니다.

③ 김치를 많이 먹은 가족부터 순서대로 이름을 써 보세요.

(**종두, 리라, 기연**)

✛ 똑같은 항아리이므로 남은 김치의 양이 적을수록 많이 먹은 것입니다. 따라서 많이 먹은 가족부터 순서대로 쓰면 종두, 리라, 기연이네 가족입니다.

38 · Run - C

4 토끼가 사냥꾼을 피해 도망을 가려고 합니다. 안전한 굴로 도망가기 위해 가장 가까운 길로 가려면 ㉮, ㉯, ㉰, ㉱의 다리 중 어느 다리를 건너야 하는지 구해 보세요.

① 다리의 길이가 짧은 것부터 순서대로 기호를 써 보세요.

(㉯, ㉰, ㉱, ㉮)

✛ 곧은 선의 다리가 가장 짧고, 많이 꺾이거나 구불거릴수록 다리가 더 깁니다. ➡ ㉯, ㉰, ㉱, ㉮ 다리의 순서대로 길이가 짧습니다.

② 토끼가 굴로 도망가기 위해 가장 가까운 길로 가려면 어느 다리를 건너야 할까요?

(㉯)

✛ ㉯ 다리가 가장 짧으므로 ㉯ 다리를 건너야 합니다.

4. 비교하기 · 39

② 교과 사고력 확장

1 호준이네 집에 있는 가전 제품들입니다. 가전 제품의 선의 길이를 보고 물음에 답하세요.

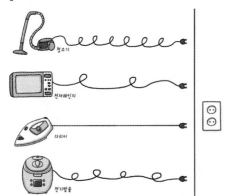

❶ 선의 길이가 전자레인지보다 더 길고 청소기보다 더 짧은 것은 무엇일까요?

(**전기밥솥**)

✤ 선의 길이가 짧은 것부터 순서대로 쓰면 다리미, 전자레인지, 전기밥솥, 청소기입니다. 따라서 선의 길이가 전자레인지보다 더 길고 청소기보다 더 짧은 것은 전기밥솥입니다.

❷ 위의 가전 제품 중에서 가장 멀리 떨어진 곳에서 사용할 수 있는 것은 무엇일까요?

(**청소기**)

✤ 선이 길수록 멀리 떨어진 곳에서 사용할 수 있으므로 선이 가장 긴 청소기가 가장 멀리 떨어진 곳에서 사용할 수 있습니다.

40 · Run - C 1-1

2 주머니 안에 솜 뭉치, 탁구공, 쇠구슬을 가득 넣고 똑같은 상자 위에 올려놓았더니 다음과 같았습니다. 그림을 보고 물음에 답하세요.

❶ 위의 그림을 보고 무거운 주머니부터 순서대로 기호를 써 보세요.

✤ 무거운 물건을 올려놓을수록 상자는 (㉠, ㉢, ㉡) 더 많이 찌그러집니다. 가장 많이 찌그러진 상자에 올려져 있는 ㉠ 주머니가 가장 무겁고, 가장 적게 찌그러진 상자에 올려져 있는 ㉡ 주머니가 가장 가볍습니다. 무거운 주머니부터 순서대로 쓰면 ㉠, ㉢, ㉡입니다.

❷ 각각의 주머니 안에 들어 있는 것은 무엇일지 이어 보세요.

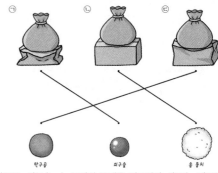

✤ 탁구공, 쇠구슬, 솜 뭉치의 무게를 비교하면 쇠구슬, 탁구공, 솜 뭉치의 순서로 무겁습니다. 따라서 ㉠ 주머니에는 쇠구슬이, ㉡ 주머니에는 솜 뭉치가, ㉢ 주머니에는 탁구공이 가득 들어 있습니다.

4. 비교하기 · 41

② 교과 사고력 확장

3 친구들이 모래밭에서 발자국을 찍어 보았습니다. 발자국을 보고 누구의 운동화가 가장 긴지 구하려고 합니다. 물음에 답하세요.

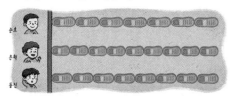

❶ 준호, 은혁, 동진이의 운동화를 찾아 바르게 이어 보세요.

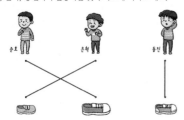

❷ 준호, 은혁, 동진 세 사람 중에서 누구의 운동화가 가장 긴지 쓰고 그 이유를 써 보세요.

(**준호**)

이유 **예** 발자국 한 개의 한쪽 끝을 맞추어 비교했을 때 가장 많이 나온 쪽이 가장 길기 때문입니다.

42 · Run - C 1-1

4 친구들의 대화를 읽고 같은 컵에 주스를 따르고 난 후 컵에 담긴 양을 비교하려고 합니다. 물음에 답하세요.

난 주스를 방금 따랐어. 각자 마실 만큼 따라 마셔. *승기*

난 목이 말라서 가장 많이 따랐어. *다영*

난 주스를 좋아하지 않아서 가장 적게 따랐어. *세형*

난 승기보다 더 많이 따랐어. *은지*

❶ 컵에 담긴 주스의 양이 가장 적은 친구는 누구일까요?

(**세형**)

✤ 주스를 가장 적게 따른 컵에 담긴 세형이의 주스의 양이 가장 적습니다.

❷ 컵에 담긴 주스의 양이 가장 많은 친구는 누구일까요?

(**다영**)

✤ 주스를 가장 많이 따른 컵에 담긴 다영이의 주스의 양이 가장 많습니다.

❸ 컵에 따른 주스의 양을 알맞게 그려 보세요.

예
　　승기　　다영　　세형　　은지

✤ 은지는 승기보다 더 많이 따랐으므로 승기의 것보다 조금 더 높게 그리고 다영이를 가장 높게, 세형이를 가장 낮게 그립니다.

4. 비교하기 · 43

3 단계 교과 사고력 완성

정답과 풀이 p.11

> 평가 영역 □개념 이해력 □개념 응용력 ☑창의력 □문제 해결력

1 보기와 같이 무거운 쪽에서 추 한 개를 빼 내어 저울의 양쪽 접시의 무게가 같아지도록 하려고 합니다. 빼 내야 하는 추의 무게를 빈 곳에 써넣으세요.

보기

➡ 빼 내야 하는 추의 무게는 **1** 입니다.

①  ➡ **2**

✧ 더해서 7이 되는 수는 3과 4입니다. 따라서 양쪽 접시의 무게가 같아지려면 왼쪽에서 무게가 2인 추를 빼 내야 합니다.

②  ➡ **1**

✧ 4+4=8이므로 더해서 8이 되는 수는 5와 3입니다. 따라서 양쪽 접시의 무게가 같아지려면 오른쪽에서 무게가 1인 추를 빼 내야 합니다.

> 저울에 올린 추의 무게를 식으로 나타내어 보면 알 수 있어요.

44 · Run-C 1-1

> 평가 영역 □개념 이해력 □개념 응용력 ☑창의력 □문제 해결력

2 다음과 같은 모양 조각으로 가, 나, 다 모양을 만들었습니다. ▲ 조각을 이용하여 가, 나, 다 모양의 넓이를 비교하려고 합니다. 물음에 답하세요.

① 각 조각의 넓이는 ▲ 조각 몇 개의 넓이와 같을까요?

1 개   **2** 개   **3** 개   **6** 개

② 가, 나, 다 모양은 ▲ 조각 몇 개의 넓이와 같을까요?

가   나   다

7 개   **6** 개   **10** 개

③ 가, 나, 다 모양에서 넓은 순서대로 기호를 써 보세요.

(**다, 가, 나**)

4. 비교하기 · 45

2주 사고력

Test 종합평가   4. 비교하기

맞은 개수

정답과 풀이 p.11

1 더 낮은 것에 △표 하세요.

(1)

( )   (△)

(2)

(△)   ( )

✧ (1) 아래쪽이 맞추어져 있으므로 위쪽을 비교하면 책장이 더 낮습니다.

2 관계있는 것끼리 이어 보세요.

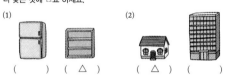

더 좁다
더 넓다

✧ 겹쳐 보았을 때 남는 부분이 있는 위쪽 접시가 더 넓습니다.

3 그림을 보고 □ 안에 알맞은 말을 써넣으세요.

의자   책상

의자 은(는) **책상** 보다 더 가볍습니다.

✧ 손으로 들어 보았을 때 힘이 덜 들어가는 의자가 책상보다 더 가볍습니다.

46 · Run-C 1-1

✧ (1) 똑같은 컵에 물이 담겨 있으므로 물의 높이가 더 높은 오른쪽 컵에 담긴 물이 더 많습니다.

4 물이 더 많이 담긴 쪽에 ◯표 하세요.

(1)

( )   (◯)

(2)

( )   (◯)

(2) 물의 높이가 같으므로 컵의 크기가 더 큰 오른쪽 컵에 담긴 물이 더 많습니다.

5 은지가 말하는 것과 관계 없는 말을 모두 찾아 ×표 하세요.

연필과 필통의 길이를 비교할 거야!

은지

짧다   넓다
좁다   길다

✧ 두 가지 물건의 길이를 비교할 때는 '더 길다', '더 짧다'로 말합니다.

6 가장 짧은 것에 △표 하세요.

( )
( )
(△)

✧ 왼쪽 끝이 맞추어져 있으므로 오른쪽 끝이 가장 적게 나온 크레파스가 가장 짧습니다.

7 넓은 것부터 순서대로 1, 2, 3을 써 보세요.

(**1**)   (**3**)   (**2**)

✧ 칠판이 가장 넓고, 달력이 가장 좁습니다.

4. 비교하기 · 47

2주 평가

정답과 풀이 · **11**

Test 종합평가   4. 비교하기

정답과 풀이 p.12

8 물이 가장 많이 담긴 컵에 ○표 하세요.

(○)   ( )   ( )

✤ 물의 높이가 같으므로 컵의 크기가 가장 큰 왼쪽 컵에 물이 가장 많이 담겨 있습니다.

9 가장 긴 것에 ○표 하세요.

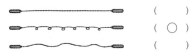

( )
(○)
( )

✤ 양쪽 끝이 맞추어져 있으므로 줄이 가장 많이 구부러져 있는 것이 가장 깁니다.

10 가장 넓은 곳에 색칠해 보세요.

(1)   (2)

11 ㉮보다 더 넓고 ㉯보다 더 좁은 △ 모양을 빈 곳에 그려 넣으세요.

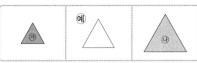

✤ ㉮ 모양과 겹쳐 보았을 때 남는 부분이 있고, ㉯ 모양과 겹쳐 보았을 때 남는 부분이 없게 그립니다.

12 칫솔보다 더 짧은 것은 모두 몇 개일까요?

(**3개**)

✤ 칫솔보다 더 짧은 것은 빗, 연필, 클립이므로 모두 3개입니다.

13 그림과 같이 밭에 상추, 가지, 호박, 오이를 심었습니다. 가장 넓은 부분에 심은 것은 무엇일까요?

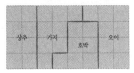

(**오이**)

✤ 심은 칸 수를 각각 세어 보면 상추 8칸, 가지 8칸, 호박 7칸, 오이 9칸입니다. 따라서 가장 넓은 부분에 심은 것은 오이입니다.

Test 종합평가   4. 비교하기

정답과 풀이 p.12

14 다음을 읽고 거울, 색종이, 창문을 좁은 것부터 순서대로 써 보세요.

> • 거울은 색종이보다 더 넓습니다.
> • 거울은 창문보다 더 좁습니다.

(**색종이, 거울, 창문**)

✤ 거울은 색종이보다 더 넓고 창문보다 더 좁으므로 색종이가 가장 좁고 창문이 가장 넓습니다.

15 종훈, 슬기, 현지 중에서 가장 무거운 사람은 누구일까요?

종훈   슬기   슬기   현지

(**현지**)

✤ 시소는 무거운 쪽이 아래로 내려가므로 슬기가 종훈이보다 더 무겁고, 현지가 슬기보다 더 무겁습니다.
따라서 가장 무거운 사람은 현지입니다.

16 다른 부분을 두 군데 찾아 비교하는 말을 이용하여 문장을 써 보세요.

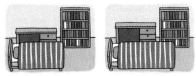

예 ① **오른쪽 침대가 더 깁니다.**

    ② **오른쪽 책상이 더 높습니다.**

특강   창의·융합 사고력

정답과 풀이 p.12

❶ 다음은 민기네 집의 모양을 위에서 내려다본 모습을 그린 것입니다. 이처럼 건물을 위에서 내려다본 모습을 그린 것을 평면도라고 합니다. 다음 평면도를 보고 물음에 답하세요.

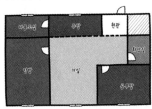

(1) 민기네 집에서 가장 넓은 곳은 어느 곳일까요?

(**거실**)

(2) 민기가 지금 있는 곳은 안방보다 더 좁고 주방보다 더 넓습니다. 민기가 있는 곳은 어디일까요?

(**공부방**)

✤ 안방보다 더 좁은 곳은 다용도실, 주방, 현관, 화장실, 공부방입니다. 이 중에서 주방보다 더 넓은 곳은 공부방입니다.
따라서 민기가 있는 곳은 공부방입니다.

(3) 민기네 집에서 좁은 곳부터 순서대로 번호를 써 보세요.

다용도실	주방	안방	거실	공부방	화장실
(2)	(3)	(5)	(6)	(4)	(1)

5 50까지의 수

십진법의 발견

이번 단원에서는 1단원에서 배운 9까지의 수보다 더 큰 수를 배우게 됩니다.
9보다 더 큰 수는 0부터 9까지 10개의 숫자를 한 묶음으로 하여 한 자리씩 올려 나가는
방법으로 수를 나타내는데 이를 십진법이라고 합니다. 그럼 우리가 십진법을 사용하는 이
유는 무엇인지 알아볼까요?

옛날 사람들은 수를 셀 때 주로 몸을 이용
하였습니다. 북극과 가장 가까운 나라인
그린란드에서는 수를 셀 때 손가락 10개
와 발가락 10개로 수를 나타내었습니다.
예를 들어 물고기 12마리를 잡으면 손가
락 10개를 모두 내밀고 발가락 2개를 더
내밀어 표현했다고 합니다. 하지만 손가
락과 발가락을 이용해서 수를 세었지만 세어야 할 수가 커지면 문제가 생겼습니다. 왜
냐하면 손가락은 접었다 펴는 건 쉬웠지만 발가락은 어려웠으니까요.

그래서 사람들은 손가락 10개만 사용
해서 수를 나타내기로 했습니다. 손가
락이 모두 10개이니까, 수가 10을 넘
으면 하나로 묶고 새로 1부터 세기 시
작한 거죠. 이렇게 0부터 9까지의 숫
자를 10개씩 묶어서 나타내면 10(십),
100(백), 1000(천)……을 세는 것도 편리합니다.
이와 같이 한 묶음으로 표현하여 나타내는 십진법을 사용하기 시작했답니다.

> (10개씩 묶음 1개)=10

사과의 수가 10개가 되도록 붙임딱지를 붙여 보세요.

10이 되도록 색칠해 보세요.

블록이 10이 되도록 이어 보세요.

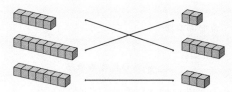

---

1 단계 교과서 개념 잡기

개념 1 9 다음 수 알아보기

· 10 알아보기

10	
십	열

9보다 1만큼 더 큰 수를
10이라고 합니다.

· 10 모으기

| 1 | 9 | → | 10 |
| 2 | 8 | → | 10 |

· 10 가르기

| 10 | → | 3 | 7 |
| 10 | → | 4 | 6 |

개념 2 십몇 알아보기

13	
십삼	열셋

10개씩 묶음 1개와 낱개 3개를
13이라고 합니다.

> 10개씩 묶음 1개와 낱개 ■개 ➡ 1■

· 십몇 쓰고 읽기

11	12	13	14	15
십일, 열하나	십이, 열둘	십삼, 열셋	십사, 열넷	십오, 열다섯

16	17	18	19
십육, 열여섯	십칠, 열일곱	십팔, 열여덟	십구, 열아홉

개념 확인 문제

1-1 10이 되도록 색칠해 보세요.

✦ 색칠된 모양이 3개이므로 10이 될 때까지 더 색칠합니다.

1-2 빈 곳에 알맞은 수를 써넣으세요.

(1)

5	5

↓
10

(2)

10
↓

8	2

✦ (1) 5와 5를 모으기 하면 10이 됩니다.
  (2) 10은 8과 2로 가르기 할 수 있습니다.

2-1 그림을 보고 □ 안에 알맞은 수나 말을 써넣으세요.

(1) 10개씩 묶음 1개와 낱개 5개이므로 15 입니다.

(2) 15는 십오 또는 열다섯 이라고 읽습니다.

2-2 수를 보고 10개씩 묶음의 수와 낱개의 수를 써넣으세요.

(1)

10개씩 묶음	낱개
1	6

16

(2)

10개씩 묶음	낱개
1	2

12

✦ (1) 10개씩 묶음 1개와 낱개 6개는 16입니다.
  (2) 10개씩 묶음 1개와 낱개 2개는 12입니다.

정답과 풀이 · **13**

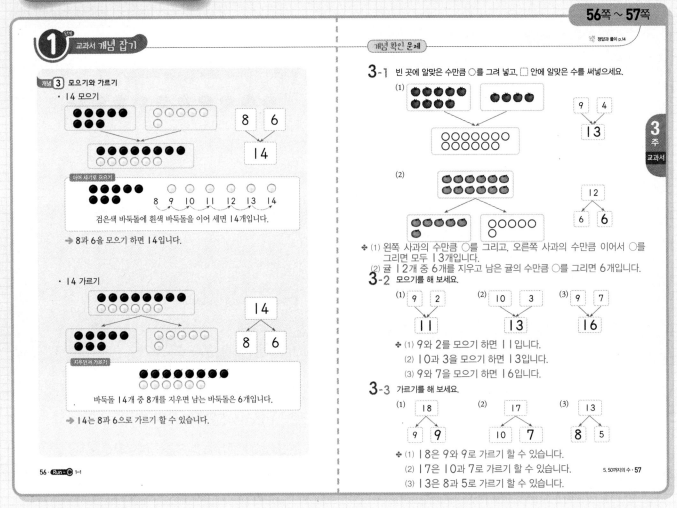

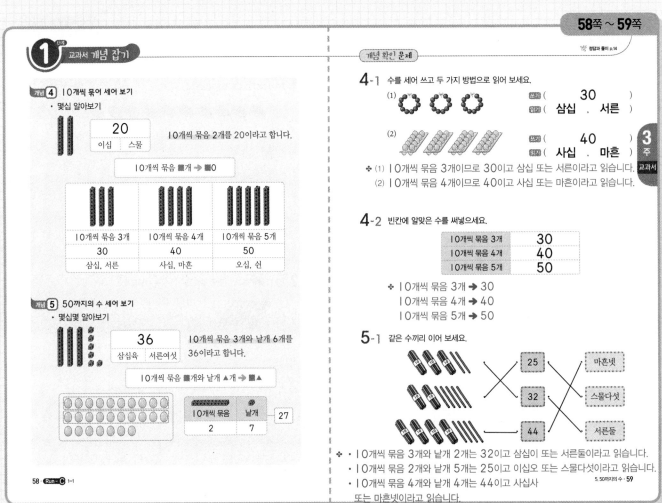

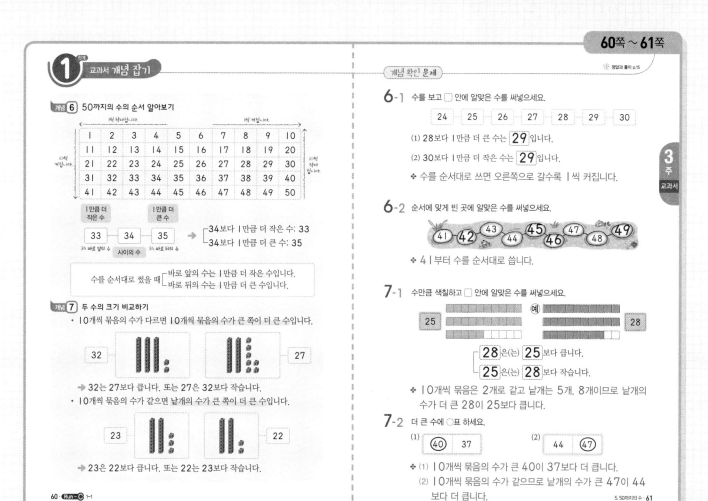

1 교과서 **개념 잡기**

개념 **6** 50까지의 수의 순서 알아보기

1	2	3	4	5	6	7	8	9	10
11	12	13	14	15	16	17	18	19	20
21	22	23	24	25	26	27	28	29	30
31	32	33	34	35	36	37	38	39	40
41	42	43	44	45	46	47	48	49	50

1만큼 더 작은 수		1만큼 더 큰 수
33	34	35

→ 34보다 1만큼 더 작은 수: 33
→ 34보다 1만큼 더 큰 수: 35

수를 순서대로 썼을 때 ┌ 바로 앞의 수는 1만큼 더 작은 수입니다.
└ 바로 뒤의 수는 1만큼 더 큰 수입니다.

개념 **7** 두 수의 크기 비교하기

· 10개씩 묶음의 수가 다르면 10개씩 묶음의 수가 큰 쪽이 더 큰 수입니다.

32 [|||:] [||:] 27

→ 32는 27보다 큽니다. 또는 27은 32보다 작습니다.

· 10개씩 묶음의 수가 같으면 낱개의 수가 큰 쪽이 더 큰 수입니다.

23 [||:] [||.] 22

→ 23은 22보다 큽니다. 또는 22는 23보다 작습니다.

60 · Run - C 1-1

개념 확인 문제

6-1 수를 보고 □ 안에 알맞은 수를 써넣으세요.

24 — 25 — 26 — 27 — 28 — 29 — 30

(1) 28보다 1만큼 더 큰 수는 **29** 입니다.

(2) 30보다 1만큼 더 작은 수는 **29** 입니다.

✧ 수를 순서대로 쓰면 오른쪽으로 갈수록 1씩 커집니다.

6-2 순서에 맞게 빈 곳에 알맞은 수를 써넣으세요.

41 42 43 44 45 46 47 48 49

✧ 41부터 수를 순서대로 씁니다.

7-1 수만큼 색칠하고 □ 안에 알맞은 수를 써넣으세요.

25 [ ] 예 [ ] 28

28 은(는) **25** 보다 큽니다.
25 은(는) **28** 보다 작습니다.

✧ 10개씩 묶음은 2개로 같고 낱개는 5개, 8개이므로 낱개의 수가 더 큰 28이 25보다 큽니다.

7-2 더 큰 수에 ○표 하세요.

(1) (40) 37 (2) 44 (47)

✧ (1) 10개씩 묶음의 수가 큰 40이 37보다 더 큽니다.
 (2) 10개씩 묶음의 수가 같으므로 낱개의 수가 큰 47이 44보다 더 큽니다.

5. 50까지의 수 · 61

PLAY 교과서 개념 스토리 **무당벌레와 나뭇잎 완성하기**

무당벌레가 등에 있는 점의 수와 같은 수가 적힌 나뭇잎을 먹고 있어요.
나뭇잎에 적힌 수를 보고 무당벌레 등을 완성하고, 무당벌레의 등을 보고 나뭇잎을 완성해 보세요.

62 · Run - C 1-1

5. 50까지의 수 · 63

정답과 풀이 · **15**

② 단계 교과서 개념 다지기

정답과 풀이 p.16

개념 1 9 다음 수 알아보기

01 그림을 보고 알맞은 수에 ○표 하세요.

(1) 돼지의 수는 8보다 (1 , ②)만큼 더 큽니다.

(2) 돼지는 모두 (9 , ⑩)마리입니다.

✧ (2) 8보다 2만큼 더 큰 수는 10이므로 돼지는 모두 10마리
   입니다.

02 10이 되도록 ○를 그리고 □ 안에 알맞은 수를 써넣으세요.

➔ 7과 3 을 모으기 하면 10이 됩니다.

✧ ○가 7개 있으므로 7, 8, 9, 10으로 수를 세어 가며 ○를 3개
   더 그립니다.

03 10을 어떻게 읽어야 하는지 알맞은 말에 ○표 하세요.

(1) 형은 10살입니다.	(2) 어머니의 생신은 7월 10일입니다.	(3) 상자에 도넛이 10개 들어 있습니다.
(십 , 열)	(십 , 열)	(십 , 열)

✧ (1) 10살 ➔ 열 살 (2) 10일 ➔ 십 일 (3) 10개 ➔ 열 개

개념 2 십몇 알아보기

04 빈칸에 알맞은 수나 말을 써넣으세요.

(1) | 17 | 십칠 | 열일곱 |

(2) | 18 | 십팔 | 열여덟 |

(3) | 19 | 십구 | 열아홉 |

수를 두 가지 방법으로 읽어 봐요.

05 빈 곳에 알맞은 수를 써넣으세요.

(1) 13 — 14 — 15 — 16 — 17 — 18

(2) 19 — 18 — 17 — 16 — 15 — 14

✧ (1) 13부터 수를 세어 씁니다.
   (2) 19부터 수를 거꾸로 세어 씁니다.

06 블록의 수를 써 보세요.

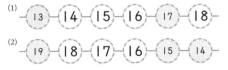

(1) 11 개   (2) 12 개   (3) 14 개

✧ (1) 10개씩 묶어 세면 10개씩 묶음 1개와 낱개 1개이므로 모두 11개입니다.
   (2) 10개씩 묶어 세면 10개씩 묶음 1개와 낱개 2개이므로 모두 12개입니다.
   (3) 10개씩 묶어 세면 10개씩 묶음 1개와 낱개 4개이므로 모두 14개입니다.

2단계 교과서 **개념** 다지기

정답과 풀이 p.17

개념3 모으기와 가르기

07 15칸을 두 가지 색으로 색칠하고 가르기를 해 보세요.

(예)

예 15

5 10

❖ 15는 1과 14, 2와 13, 3과 12, 4와 11, 5와 10, 6과 9, 7과 8 등으로 가르기 할 수 있습니다.

08 두 가지 방법으로 가르기를 해 보세요.

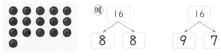

예 16

8 8

16

9 7

❖ 16은 1과 15, 2와 14, 3과 13, 4와 12, 5와 11, 6과 10, 7과 9, 8과 8 등으로 가르기 할 수 있습니다.

09 위와 아래의 두 수를 모아서 13이 되는 것끼리 이어 보세요.

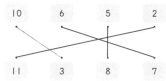

10 6 5 2

11 3 8 7

❖ 두 수를 모아서 13이 되는 수는 1과 12, 2와 11, 3과 10, 4와 9, 5와 8, 6과 7 등이 있습니다.

68 · Run - C 1-1

개념4 50까지의 수 세어 보기

10 같은 수끼리 이어 보세요.

24	삼십	서른
30	사십팔	스물넷
48	이십사	마흔여덟

❖ · 24 ➡ 이십사, 스물넷 · 30 ➡ 삼십, 서른
· 48 ➡ 사십팔, 마흔여덟

11 빈칸에 알맞은 수를 써넣으세요.

(1)
| 10개씩 묶음 | 낱개 |
| 1 | 9 |

19

(2)
| 10개씩 묶음 | 낱개 |
| 4 | 3 |

43

❖ · 10개씩 묶음 1개와 낱개 9개 ➡ 19
· 10개씩 묶음 4개와 낱개 3개 ➡ 43

12 수를 보고 ☐ 안에 알맞은 수를 써넣으세요.

40

· 10개씩 묶음 4 개는 40 입니다.

· 구슬이 10개씩 4 묶음 있으면 40 개입니다.

❖ 40은 10개씩 묶음 4개입니다.

13 영진이가 주머니에서 꺼낸 동전입니다. 동전은 모두 얼마일까요?

46 원

❖ 10원짜리 동전이 4개이면 40원이고, 1원짜리 동전이 6개이면 6원이므로 모두 46원입니다.

5. 50까지의 수 · 69

2단계 교과서 **개념** 다지기

정답과 풀이 p.17

개념5 50까지의 수의 순서 알아보기

14 빈 곳에 알맞은 수를 써넣으세요.

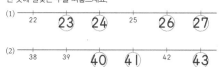

(1) 22 **23** **24** 25 **26** **27**

(2) 38 39 **40** **41** 42 **43**

❖ (1) 22부터 수를 순서대로 써 봅니다.
(2) 38부터 수를 순서대로 써 봅니다.

15 빈 곳에 알맞은 수를 써넣으세요.

(1)

(2)
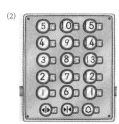

❖ (1) 오른쪽으로 1칸 갈 때마다 1씩 커집니다.
(2) 아래에서 위로 1칸 갈 때마다 1씩 커집니다.

16 빈 곳에 알맞은 수를 써넣으세요.

(1)
1만큼 더 작은 수 **33** — 34 — 1만큼 더 큰 수 **35**

(2)
사이의 수 28 — **29** — 30

❖ 수를 순서대로 썼을 때 앞의 수는 1만큼 더 작은 수이고, 바로 뒤의 수는 1만큼 더 큰 수입니다.

70 · Run - C 1-1

개념6 두 수의 크기 비교하기

17 그림을 보고 두 수의 크기를 비교해 보세요.

31 28

31은 28 보다 (큽니다 , 작습니다).

28 은 31보다 (큽니다 , 작습니다).

18 더 큰 수에 ○표 하세요.

(1) 34 **(50)**

(2) **(25)** 22

❖ (1) 10개씩 묶음의 수를 비교하면 5가 3보다 더 큽니다.
(2) 10개씩 묶음의 수가 같으므로 낱개의 수를 비교하면 5가 2보다 더 큽니다.

19 더 작은 수에 △표 하세요.

(1) **45** 48

(2) **13** 23

❖ (1) 10개씩 묶음의 수가 같으므로 낱개의 수를 비교하면 5가 8보다 더 작습니다.
(2) 10개씩 묶음의 수를 비교하면 1이 2보다 더 작습니다.

20 가장 큰 수에 ○표 하세요.

(1) 35 32 **(39)**

(2) 27 34 **(41)**

❖ (1) 10개씩 묶음의 수가 모두 같으므로 낱개의 수가 가장 큰 39가 가장 큽니다.
(2) 10개씩 묶음의 수가 가장 큰 41이 가장 큽니다.

5. 50까지의 수 · 71

③ 단계 교과서 **실력 다지기**

정답과 풀이 p.18

★ 수를 세어 읽기

1 생선의 수를 두 가지 방법으로 읽어 보세요.

답 __십__ , __열__

개념 리드백 • 10개씩 묶어 세기
10개씩 묶음이 1묶음이면 뒤에 0입니다.

❖ 10개씩 1묶음은 10입니다. 10은 십 또는 열이라고 읽습니다.

1-1 오징어의 수를 두 가지 방법으로 읽어 보세요.

(__이십__), (__스물__)

❖ 10개씩 2묶음은 20입니다. 20은 이십 또는 스물이라고 읽습니다.

1-2 다음을 읽고 오이의 수를 두 가지 방법으로 읽어 보세요.

 오이가 10개씩 묶음이 5개 있습니다.

(__오십__), (__쉰__)

❖ 10개씩 5묶음은 50입니다. 50은 오십 또는 쉰이라고 읽습니다.

★ 모으기와 가르기의 응용

2 ㉠과 ㉡에 알맞은 수를 모으기 하면 얼마인지 구해 보세요.

답 __11__

개념 리드백 • 여러 가지 방법으로 가르기
13은 (1, 12), (2, 11), (3, 10), (4, 9) 등 여러 가지 방법으로 가르기 할 수 있고,
17은 (1, 16), (2, 15), (3, 14), (4, 13) 등 여러 가지 방법으로 가르기 할 수 있습니다.

❖ • 13은 9와 4로 가르기 할 수 있으므로 ㉠은 4입니다.
• 17은 7과 10으로 가르기 할 수 있으므로 ㉡은 7입니다.
따라서 4와 7을 모으기 하면 11입니다.

2-1 ㉮와 ㉯에 알맞은 수를 모으기 하면 얼마인지 구해 보세요.

(__16__)

❖ • 5와 5를 모으기 하면 10이므로 ㉮는 10입니다.
• 15는 9와 6으로 가르기 할 수 있으므로 ㉯는 6입니다.
따라서 10과 6을 모으기 하면 16입니다.

2-2 ㉠에 알맞은 수는 얼마인지 구해 보세요.

(__6__)

❖ • 18을 10과 8로 가르기 합니다.
• 8을 2와 6으로 가르기 합니다.
➡ ㉠=6

---

③ 단계 교과서 **실력 다지기**

정답과 풀이 p.18

★ 수를 구한 후 크기 비교하기

3 당근과 무가 각각 다음과 같이 있습니다. 당근과 무 중 어느 것이 더 많은지 구해 보세요.

답 __당근__

개념 리드백 • 수의 크기 비교
① 10개씩 묶음의 수가 클수록 더 큰 수입니다.
② 10개씩 묶음의 수가 같을 때에는 낱개의 수가 클수록 더 큰 수입니다.

❖ 당근: 10개씩 묶음 2개와 낱개 3개 ➡ 23개, 무: 열두 개 ➡ 12개
따라서 당근이 무보다 더 많습니다.

3-1 책을 더 많이 읽은 사람의 이름을 써 보세요.

세호: 난 10권을 읽고 난 후 7권을 더 읽었어.
가은: 난 동화책 7권과 위인전 9권을 읽었어.

(__세호__)

❖ 세호: 10에서 7만큼 더 세면 17입니다.
가은: 7과 9를 모으기 하면 16입니다.
따라서 세호가 가은이보다 더 많이 읽었습니다.

3-2 다영이와 준수는 각각 4번씩 동전 던지기를 하였습니다. 결과가 다음과 같을 때 누구의 점수가 더 큰지 구해 보세요.

(__준수__)

❖ 다영이는 22점, 준수는 31점이므로 준수의 점수가 다영이의 점수보다 더 큽니다.

★ 만들 수 있는 모양의 개수 구하기

4 ▨으로 보기의 모양을 몇 개 만들 수 있을까요?

보기

답 __3개__

개념 리드백 ▨0은 10개씩 묶음 뒤개입니다.
❖ 보기의 모양은 ▨ 10개로 이루어져 있고 오른쪽 ▨은 30개이므로 10개씩 묶으면 3묶음입니다. 따라서 보기의 모양을 3개 만들 수 있습니다.

4-1 ▨으로 보기의 모양을 몇 개 만들 수 있을까요?

보기

❖ 보기의 모양은 ▨ 10개로 이루어져 (__5개__) 있고, 오른쪽 ▨은 10개씩 묶음이 5개이므로 50개입니다. 따라서 보기의 모양을 5개 만들 수 있습니다.

4-2 ▨으로 보기의 모양을 몇 개까지 만들 수 있고, 몇 개가 남는지 차례대로 써 보세요.

보기

(__2개__), (__2개__)

❖ 오른쪽 ▨은 10개씩 2묶음이고 낱개 2개이므로 보기의 모양을 2개까지 만들 수 있고, 2개가 남습니다.

③ 단계 교과서 실력 다지기

정답과 풀이 p.19

★ I만큼 더 큰 수, I만큼 더 작은 수

5 준수가 가지고 있는 카드의 수는 어떤 수인지 구해 보세요.

> 나는 33보다 I만큼 더 크고 35보다 I만큼 더 작은 수가 적힌 카드를 가지고 있어.

답 **34**

개념 카드북
• I만큼 더 큰 수: 수를 순서대로 썼을 때 바로 뒤의 수
• I만큼 더 작은 수: 수를 순서대로 썼을 때 바로 앞의 수

❖ 33보다 I만큼 더 큰 수는 33 바로 뒤의 수이고, 35보다
I만큼 더 작은 수는 35 바로 앞의 수입니다.
따라서 준수가 가지고 있는 카드의 수는 34입니다.

5-1 주어진 수보다 I만큼 더 큰 수와 I만큼 더 작은 수를 각각 구해 보세요.

> 10개씩 묶음 2개와 낱개 5개인 수

I만큼 더 큰 수(**26**)
I만큼 더 작은 수(**24**)

❖ 10개씩 묶음 2개와 낱개 5개인 수는 25입니다.
25보다 I만큼 더 큰 수는 25 바로 뒤의 수이므로 26입니다.
25보다 I만큼 더 작은 수는 25 바로 앞의 수이므로 24입니다.

5-2 지호는 수가 적혀 있는 공을 수의 순서대로 놓고 있습니다. 49가 적힌 공
바로 뒤에는 어떤 수가 적힌 공을 놓아야 하는지 구해 보세요.

(45) (46) (47) (48) (49) ( )

(**50**)

❖ 49 바로 뒤의 수는 50이므로 49가 적힌 바로 뒤에는 50
이 적힌 공을 놓아야 합니다.

★ 조건을 만족하는 수 구하기

6 다음 두 조건을 만족하는 수를 모두 구해 보세요.

> • 10개씩 묶음 3개와 낱개 7개인 수보다 큰 수입니다.
> • 40보다 작은 수입니다.

답 **38, 39**

개념 카드북
• ■보다 큰 수: 수를 순서대로 썼을 때 ■ 뒤에 있는 수
• ■보다 작은 수: 수를 순서대로 썼을 때 ■ 앞에 있는 수

❖ 10개씩 묶음 3개와 낱개 7개인 수는 37입니다.
37보다 큰 수 중에서 40보다 작은 수는 38, 39입니다.

6-1 25부터 30까지의 수 중에서 보기의 수보다 작은 수를 모두 써 보세요.

> 보기
> 10개씩 묶음 2개와 낱개 8개인 수

(**25, 26, 27**)

❖ 10개씩 묶음 2개와 낱개 8개 ➜ 28
25-26-27-28-29-30에서 28보다 작은 수는
25, 26, 27입니다.

6-2 수 카드 중에서 2장을 골라 한 번씩만 사용하여 30보다 크고 40보다 작은
수를 만들려고 합니다. 만들 수 있는 가장 큰 수를 구해 보세요.

 2 3 4

(**34**)

❖ 만들 수 있는 수는 23, 24, 32, 34, 42, 43입니다.
이 중에서 30보다 크고 40보다 작은 수는 32, 34이므로
가장 큰 수는 34입니다.

Test 교과서 서술형 연습

정답과 풀이 p.19

1 구슬을 건우는 42개 가지고 있고, 영호는 10개씩 묶음 4개와 낱개 3개를 가
지고 있습니다. 구슬을 더 많이 가지고 있는 사람은 누구인지 구해 보세요.

☞구하려는 것, 주어진 것에 선을 그어 봅니다.

확인하기 영호는 구슬을 10개씩 묶음 4개와 낱개 3개를 가지고 있으므로

43 개 가지고 있습니다.

따라서 구슬을 더 많이 가지고 있는 사람은 **영호** 입니다.

답 구하기 **영호**

2 붙임딱지를 서윤이는 10장씩 묶음 I개와 낱장 2장을 가지고 있고, 정수는 10장
씩 묶음 2개와 낱장 I장을 가지고 있습니다. 붙임딱지를 더 많이 가지고 있는
사람은 누구인지 구해 보세요.

주어진 것   주어진 것

구하려는 것

☞구하려는 것, 주어진 것에 선을 그어 봅니다.

확인하기 예 서윤이는 10장씩 묶음 I개와 낱장 2장
이므로 12장 가지고 있습니다. 정수는 10
장씩 묶음 2개와 낱장 I장이므로 21장 가
지고 있습니다. 따라서 12와 21 중에서
더 큰 수는 21이므로 붙임딱지를 더 많이
가지고 있는 사람은 정수입니다.

답 구하기 **정수**

---

3 다음 3장의 수 카드 중에서 2장을 골라 한 번씩만 사용하여 몇십몇을 만들려
고 합니다. 만들 수 있는 가장 작은 수는 얼마인지 구해 보세요.

4 1 2

확인하기 I, 2를 뽑아 만들 수 있는 수는 12, 21입니다.
I, 4를 뽑아 만들 수 있는 수는 14, 41 입니다.
2, 4를 뽑아 만들 수 있는 수는 24, 42입니다.
이 중에서 가장 작은 수는 12입니다.

답 구하기 12

4 다음 3장의 수 카드 중에서 2장을 골라 한 번씩만 사용하여 몇십몇을 만들려
고 합니다. 만들 수 있는 가장 큰 수는 얼마인지 구해 보세요.

1 2 3

확인하기 예 I, 2를 뽑아 만들 수 있는 수는 12, 21
입니다. I, 3을 뽑아 만들 수 있는 수는 13,
31입니다. 2, 3을 뽑아 만들 수 있는 수는
23, 32입니다. 이 중에서 가장 큰 수는 32
입니다.

답 구하기 **32**

PLAY 사고력 개념 스토리　돼지 형제의 집 완성하기

돼지 형제는 추운 겨울을 나기 위하여 집을 짓고 있습니다. 벽돌의 규칙을 찾아 비어 있는 곳에 벽돌 붙임딱지를 붙여 집을 완성해 보세요.

11은 5와 6으로 가른 다음 5와 6을 각각 한 번 더 갈랐어.

4주
사고력

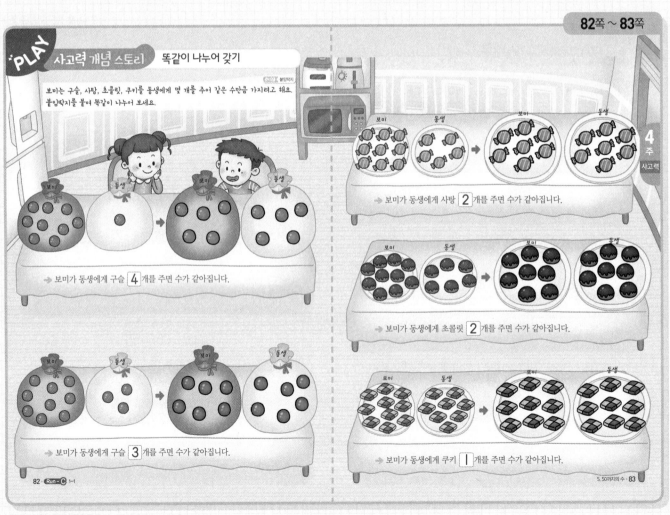

PLAY 사고력 개념 스토리　똑같이 나누어 갖기

보미는 구슬, 사탕, 초콜릿, 쿠키를 동생에게 몇 개를 주어 같은 수만큼 가지려고 해요. 붙임딱지를 붙여 똑같이 나누어 보세요.

➡ 보미가 동생에게 구슬 **4** 개를 주면 수가 같아집니다.

➡ 보미가 동생에게 구슬 **3** 개를 주면 수가 같아집니다.

➡ 보미가 동생에게 사탕 **2** 개를 주면 수가 같아집니다.

➡ 보미가 동생에게 초콜릿 **2** 개를 주면 수가 같아집니다.

➡ 보미가 동생에게 쿠키 **1** 개를 주면 수가 같아집니다.

4주
사고력

① 단계 교과 사고력 잡기

1 동현이네 모둠 학생 15명이 배구와 야구를 하려고 합니다. 배구를 하는 학생이 야구를 하는 학생보다 3명 더 적습니다. 배구와 야구를 하는 학생은 각각 몇 명인지 구해 보세요.

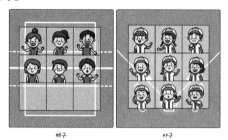

배구   야구

① 15를 여러 가지 방법으로 가르기 해 보세요.

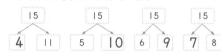

② 배구와 야구를 하는 학생 수에 맞게 위 그림의 각 칸에 붙임딱지를 붙여 보세요.

❖ 배구가 야구보다 3명 더 적으므로 15를 가르기 한 것 중 (배구, 야구) ➡ (6, 9)가 알맞습니다.

③ 배구와 야구를 하는 학생은 각각 몇 명일까요?

배구 (**6명**), 야구 (**9명**)

---

2 극장의 자리를 나타낸 그림입니다. 민기의 자리와 세진이의 자리를 찾아보세요.

① 수의 순서에 맞게 위의 빈 곳에 알맞은 수를 써넣으세요.

② 민기의 자리를 찾아 ○표 하세요.

③ 세진이의 자리를 찾아 △표 하세요.

❖ 10개씩 묶음 3개와 낱개 6개는 36입니다.

---

① 단계 교과 사고력 잡기

3 지연이는 동생과 블록 쌓기 놀이를 하고 있습니다. 지연이와 동생 중에서 누가 블록을 더 많이 사용했는지 구해 보세요.

지연   동생

① 지연이가 사용한 블록은 모두 몇 개일까요?

(**35개**)

❖ 지연이가 사용한 블록은 10개씩 묶음 3개와 낱개 5개이므로 35개입니다.

② 동생이 사용한 블록은 모두 몇 개일까요?

(**36개**)

❖ 동생이 사용한 블록은 10개씩 묶음 3개와 낱개 6개이므로 36개입니다.

③ 지연이와 동생 중에서 누가 블록을 더 많이 사용했을까요?

(**동생**)

❖ 지연이는 35개, 동생은 36개를 사용하였으므로 동생이 블록을 더 많이 사용했습니다.

---

4 영진이네 반 학생들이 앞에서부터 번호 순서대로 서 있습니다. 영진이의 번호는 22번일 때 물음에 답하세요.

준희

① 영진이를 찾아 ○표 하세요.

❖ 16부터 수를 순서대로 쓰면 16-17-18-19-20-21-22입니다.
22번 학생이 영진입니다.

② 준희와 영진이 사이에 서 있는 학생은 몇 명일까요?

(**5명**)

❖ 16과 22 사이에 있는 수는 17, 18, 19, 20, 21이므로 준희와 영진이 사이에 서 있는 학생은 5명입니다.

③ 영진이 뒤로 8명이 더 서 있습니다. 맨 마지막에 서 있는 학생의 번호는 몇 번일까요?

(**30번**)

❖ 영진이가 22번이고 영진이 뒤로 8명이 더 있으면 22-23-24-25-26-27-28-29-30이므로 맨 마지막에 서 있는 학생의 번호는 30번입니다.

2단계 교과 사고력 확장

정답과 풀이 p.22

1 생일 케이크에 꽂는 긴 초는 10살, 짧은 초는 1살을 나타냅니다. 수지 이모의 생일 케이크에 다음과 같이 초를 꽂았습니다. 삼촌이 이모보다 3살 더 많을 때 삼촌 케이크에 초 붙임딱지를 붙여 보세요.

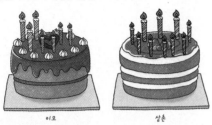

이모   삼촌

① 이모의 나이는 몇 살일까요?

(**34살**)

✦ 긴 초의 수는 10개씩 묶음의 수, 짧은 초의 수는 낱개의 수이므로 이모의 나이는 34살입니다.

② 삼촌의 나이는 몇 살일까요?

(**37살**)

✦ 34보다 3만큼 더 큰 수는 34−35−36−37이므로 삼촌의 나이는 37살입니다.

③ 삼촌의 케이크에 초 붙임딱지를 붙여 보세요.

✦ 삼촌의 나이는 37살이므로 10살을 나타내는 긴 초 3개와 1살을 나타내는 짧은 초 7개를 붙입니다.

88 · Run - C 1-1

2 신데렐라가 모든 칸을 한 번씩 지나서 호박 마차가 있는 곳까지 갈 수 있도록 [보기]와 같이 수를 순서대로 연결해 보세요. (단, 가로 또는 세로 방향으로만 선을 이을 수 있습니다.)

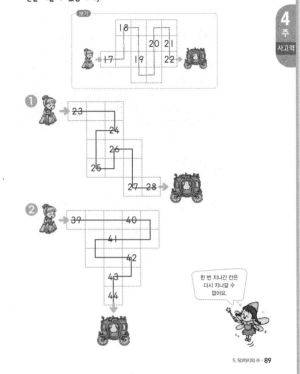

한 번 지나간 칸은 다시 지나갈 수 없어요.

5. 50까지의 수 · 89

2단계 교과 사고력 확장

정답과 풀이 p.22

3 준수와 나은이는 과녁에 화살을 4개씩 쏘아 과녁에 모두 맞혔습니다. 준수와 나은이 중 누구의 점수가 더 높은지 구해 보세요.

난 10점에 3개, 7점에 1개 맞혔어.   준수

난 10점에 3개, 9점에 1개 맞혔어.   나은

① 준수가 얻은 점수는 몇 점일까요?

(**37점**)

✦ 10점 3개와 7점이므로 37점입니다.

② 나은이가 얻은 점수는 몇 점일까요?

(**39점**)

✦ 10점 3개와 9점이므로 39점입니다.

③ 준수와 나은이 중 누구의 점수가 더 높을까요?

(**나은**)

✦ 준수는 37점, 나은이는 39점이므로 나은이의 점수가 더 높습니다.

90 · Run - C 1-1

4 주어진 수 중에서 조건에 맞는 수를 찾아 빈 곳에 써넣으세요.

① 18 41 → 40보다 큰 수 → **41**

② 42 35 → 10개씩 묶음의 수가 낱개의 수보다 작은 수 → **35**

✦ **①** 18은 40보다 작고, 41은 40보다 큽니다.
    ② 42는 10개씩 묶음의 수가 낱개의 수보다 큽니다.
      35는 10개씩 묶음의 수가 낱개의 수보다 작습니다.

③ 12 46 23 → 낱개의 수가 5보다 작은 수 → **12** **23** → 20보다 큰 수 → **23**

④ 29 38 41 → 10개씩 묶음의 수가 낱개의 수보다 작은 수 → **29** **38** → 32보다 작은 수 → **29**

✦ **③** 12, 23은 낱개의 수가 5보다 작고, 46은 낱개의 수가 5보다 큽니다.
      12는 20보다 작고, 23은 20보다 큽니다.
    ④ 29, 38은 10개씩 묶음의 수가 낱개의 수보다 작습니다.
      41은 10개씩 묶음의 수가 낱개의 수보다 큽니다.
      29는 32보다 작고 38은 32보다 큽니다.

5. 50까지의 수 · 91

3 단계 교과 사고력 완성

정답과 풀이 p.23

1 마녀는 더 큰 수를 따라서 미로를 통과합니다. 미로를 통과하는 길을 나타내어 보세요. (단, 오른쪽과 아래쪽으로만 갈 수 있습니다.)

❖ 17과 32 중 32가 큽니다. ➡ 29와 19 중 29가 큽니다. ➡ 43과 38 중 43이 큽니다. ➡ 49와 48 중 49가 큽니다. ➡ 27과 33 중 33이 큽니다.

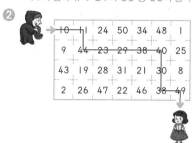

❖ 11과 9 중 11이 큽니다. ➡ 24와 44 중 44가 큽니다. ➡ 23과 19 중 23이 큽니다. ➡ 29와 28 중 29가 큽니다. ➡ 38과 31 중 38이 큽니다. ➡ 40과 21 중 40이 큽니다. ➡ 25와 30 중 30이 큽니다. ➡ 8과 38 중 38이 큽니다.

2 지우와 세형이는 수 이어 말하기 놀이를 하고 있습니다. 다음을 보고 지우가 이기려면 다음 차례에 수를 어떻게 말해야 하는지 빈 곳에 써넣으세요.

> **수 이어 말하기 놀이**
> • 1부터 시작하여 한 사람이 1개에서 3개까지의 수를 이어 말할 수 있습니다.
> • 19를 말하는 사람이 지는 놀이입니다.

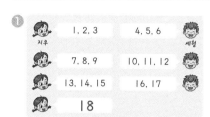

❖ 19를 말하는 사람이 지는 놀이이므로 지우가 이기려면 다음 차례에 18까지 말해야 합니다.

4 주 사고력

Test 종합평가 5. 50까지의 수

맞은 개수

정답과 풀이 p.23

1 10개가 되도록 ○를 그려 보세요.

❖ 1부터 10까지 순서대로 세면서 ○를 그려 봅니다.

2 그림을 보고 □ 안에 알맞은 수를 써넣고 두 가지 방법으로 수를 읽어 보세요.

17

읽기 **십칠** 또는 **열일곱**

❖ 10개씩 묶음 1개와 낱개 7개는 17입니다.
17은 십칠 또는 열일곱이라고 읽습니다.

3 빈 곳에 알맞은 수를 써넣으세요.

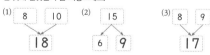

4 빈칸에 알맞은 수를 써넣으세요.

수	10개씩 묶음	낱개
23	2	3
47	4	7
32	3	2

5 같은 수끼리 이어 보세요.

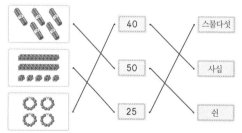

❖ • 50은 오십 또는 쉰이라고 읽습니다.
• 25는 이십오 또는 스물다섯이라고 읽습니다.
• 40은 사십 또는 마흔이라고 읽습니다.

6 빈 곳에 알맞은 수를 써넣으세요.

(1)

(2)

❖ (1) 27부터 순서대로 수를 써 봅니다.
(2) 41부터 수를 거꾸로 써 봅니다.

7 보기의 수보다 더 큰 수에 ○표 하세요.

❖ 10개씩 묶음의 수를 비교하면 19는 1개, 26은 2개, 48은 4개이므로 35보다 더 큰 수는 48입니다.

4 주 사고력

Test 종합평가 5. 50까지의 수

정답과 풀이 p.24

8 두 수를 모아서 16이 되는 수끼리 이어 보세요.

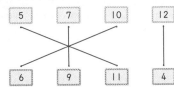

❖ • 5와 11을 모으면 16입니다.
   • 7과 9를 모으면 16입니다.
   • 10과 6을 모으면 16입니다.
   • 12와 4를 모으면 16입니다.

9 10을 읽는 방법이 다른 하나를 찾아 기호를 써 보세요.

> ㉠ 정우의 동생은 10살입니다.
> ㉡ 과수원에서 사과 10개를 땄습니다.
> ㉢ 어머니의 생신은 7월 10일입니다.
> ㉣ 나는 매일 10시에 잠을 잡니다.

(㉢)

❖ ㉠: 열 살, ㉡: 열 개, ㉢: 십 일, ㉣: 열 시

10 작은 수부터 순서대로 써 보세요.

| 46 | 17 | 30 | 28 |

(17, 28, 30, 46)

❖ 10개씩 묶음의 수가 작을수록 작습니다.
   ➜ 17 < 28 < 30 < 46

11 두 조건을 만족하는 수는 모두 몇 개일까요?

> • 35보다 큽니다.
> • 41보다 작습니다.

(5개)

❖ 35보다 큰 수는 36, 37, 38, 39, 40, 41……이고, 이 중에서 41보다 작은 수는 36, 37, 38, 39, 40입니다. 따라서 두 조건을 만족하는 수는 모두 5개입니다.

12 주어진 수보다 1만큼 더 큰 수를 구해 보세요.

> 10개씩 묶음의 수가 3이고 낱개의 수가 7인 수

(38)

❖ 10개씩 묶음의 수가 3이고 낱개의 수가 7인 수는 37입니다. 37보다 1만큼 더 큰 수는 38입니다.

13 규칙에 따라 수를 놓으려고 합니다. 빈칸에 알맞은 수를 써넣으세요.

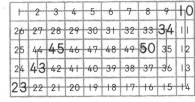

❖ 표시된 선을 따라서 1부터 50까지 수가 순서대로 놓여 있게 빈칸을 채웁니다.

4주 사고력

Test 종합평가 5. 50까지의 수

정답과 풀이 p.24

14 참외 11개를 두 접시에 나누어 담으려고 합니다. 한 접시에 5개를 담으면 다른 접시에는 몇 개를 담아야 할까요?

(6개)

❖ 11은 5와 6으로 가르기 할 수 있습니다. 따라서 한 접시에 5개를 담으면 다른 접시에는 6개를 담아야 합니다.

15 주어진 수 중에서 조건에 맞는 수를 빈 곳에 써넣으세요.

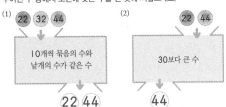

16 신데렐라가 모든 칸을 한 번씩 지나서 호박 마차가 있는 곳까지 갈 수 있도록 수를 순서대로 연결해 보세요. (단, 가로 또는 세로 방향으로만 선을 이을 수 있습니다.)

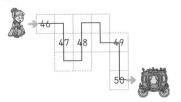

특강 **창의·융합 사고력**

정답과 풀이 p.24

① 치아는 우리 몸에서 가장 단단한 성분으로 이루어져 있으며, 음식을 씹어 잘게 부수는 일을 합니다. 어린이의 치아와 성인의 치아를 보고 물음에 답하세요.

어린이   성인

(1) 어린이의 치아는 모두 몇 개일까요?

(20개)

❖ 윗니 10개, 아랫니 10개로 10개씩 묶음 2개입니다.
   ➜ 어린이의 치아는 모두 20개입니다.

(2) 성인의 치아는 모두 몇 개일까요?

(32개)

❖ 윗니는 10개씩 묶음 1개와 낱개 6개이고, 아랫니도 10개씩 묶음 1개와 낱개 6개입니다. 모두 10개씩 묶음 2개와 낱개 12개이므로 10개씩 묶음 3개와 낱개 2개인 32개입니다. ➜ 성인의 치아는 모두 32개입니다.

(3) 어린이와 성인 중 누구의 치아가 더 많을까요?

(성인)

❖ 32가 20보다 더 크므로 성인의 치아가 더 많습니다.

4주 사고력

단원별 기초 연산 드릴 학습서

최강 단원별 연산은 내게 맡겨라!

천재
계산박사

교과과정 바탕

교과서 주요 내용을
단원별로 세분화한 12단계 구성으로
실력에 맞는 단계부터 시작 가능!

연산 유형 마스터

원리 학습에서 계산 방법 익히고,
문제를 반복 연습하여
초등 수학 단원별 연산 완성!

재미 UP! QR 학습

딱딱하고 수동적인 연산학습은 NO!
QR 코드를 통한 〈문제 생성기〉와
〈학습 게임〉으로 재미있는 수학 공부!

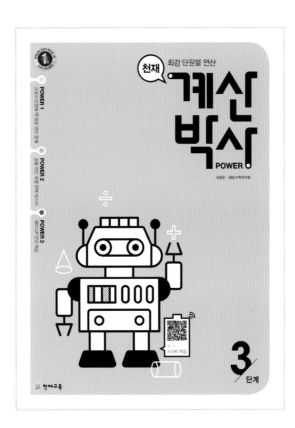

탄탄한 기초는 물론
계산력까지 확실하게!
초등1~6학년(총 12단계)

정답은
이안에
있어!

난이도 별점
쉬움 ★
보통 ★★★
어려움 ★★★★★
최상위 ★★★★★★★

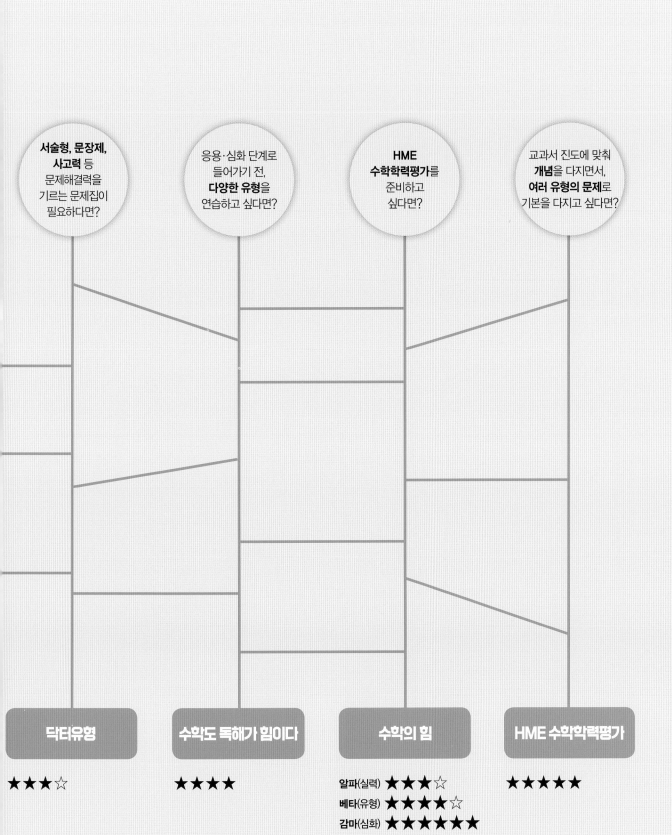

서술형, 문장제, **사고력** 등 문제해결력을 기르는 문제집이 필요하다면?

응용·심화 단계로 들어가기 전, **다양한 유형을** 연습하고 싶다면?

HME **수학학력평가**를 준비하고 싶다면?

교과서 진도에 맞춰 **개념을** 다지면서, **여러 유형의 문제로** 기본을 다지고 싶다면?

닥터유형
★★★☆

수학도 독해가 힘이다
★★★★

수학의 힘
알파(실력) ★★★☆
베타(유형) ★★★★☆
감마(심화) ★★★★★★

HME 수학학력평가
★★★★★

배움으로 행복한 내일을 꿈꾸는
천재교육 커뮤니티 안내

. . .

교재 안내부터 구매까지 한 번에!
천재교육 홈페이지

천재교육 홈페이지에서는 자사가 발행하는 참고서,
교과서에 대한 소개는 물론 도서 구매도 할 수 있습니다.
회원에게 지급되는 별을 모아 다양한 상품 응모에도
도전해 보세요.

구독, 좋아요는 필수! 핵유용 정보 가득한
천재교육 유튜브 <천재TV>

신간에 대한 자세한 정보가 궁금하세요?
참고서를 어떻게 활용해야 할지 고민인가요?
공부 외 다양한 고민을 해결해 줄 채널이 필요한가요?
학생들에게 꼭 필요한 콘텐츠로 가득한 천재TV로 놀러오세요!

다양한 교육 꿀팁에 깜짝 이벤트는 덤!
천재교육 인스타그램

천재교육의 새롭고 중요한 소식을 가장 먼저 접하고 싶다면?
천재교육 인스타그램 팔로우가 필수!
누구보다 빠르고 재미있게 천재교육의 소식을 전달합니다.
깜짝 이벤트도 수시로 진행되니 놓치지 마세요!